S0-AEB-649

Le programme orthopédagogique
DIR en lecture

Christian Boyer

Le programme orthopédagogique DIR en lecture

L'Intervention intensive en lecture

ÉDITIONS DE L'APPRENTISSAGE

Production : Carte blanche
www.carteblanche.qc.ca

© Éditions de l'Apprentissage
www.editionsdelapprentissage.com

Dépôt légal : 1er trimestre 2010
Bibliothèque et Archives nationales du Québec
ISBN 978-2-923805-00-9

À tous ces enfants à risque et en difficulté d'apprentissage souvent condamnés par nos réformes pédagogiques chimériques et non scientifiquement fondées ainsi que par l'incurie fréquente de nos interventions orthopédagogiques.

En nous souhaitant pour l'avenir plus de rigueur scientifique, moins de prescriptions pontificales du ministère de l'Éducation, plus de cohérence, moins de croyances pédagogiques et plus de foi dans le potentiel de nos enfants à risque et en difficulté d'apprentissage.

Le programme orthopédagogique DIR en lecture est utilisé
de la 1ʳᵉ année du primaire jusqu'au niveau secondaire.
Plus de 250 orthopédagogues ont, depuis 1990, été formés dans
ce programme qui s'inscrit dans le courant de
l'Enseignement explicite. Le programme a été appliqué
en français en Ontario ainsi qu'en français et en anglais au Québec.
Une version modifiée du programme DIR est en usage en espagnol
en République dominicaine.

Christian Boyer est l'instigateur et le concepteur
de ce programme ainsi que des procédures sous-jacentes
à l'ensemble des activités qui y sont en usage.

Introduction

Ce livre se veut à la fois une description du premier programme d'apprentissage que j'ai élaboré dans ma carrière, un document présentant succinctement les rationnels théoriques et empiriques derrière les caractéristiques du programme DIR en lecture et de l'ensemble de mes programmes[1] ainsi qu'un pamphlet aux élans polémiques et courroucés devant le bêlement pédagogique ambiant.

Après avoir présenté un bref historique du programme DIR, j'exposerai les différents rationnels sous-jacents aux principales caractéristiques de ce programme. Tout au long de cette démonstration, ces caractéristiques seront énoncées et mises en exergue à la suite de la présentation de l'argumentation sous-jacente. Après la lecture de ce texte et de ses annexes, vous devriez avoir une idée assez précise de ce qu'est le programme orthopédagogique DIR en lecture et sur quoi il repose. Finalement, la dernière partie du livre présente quelques résultats obtenus à la suite de l'application du programme DIR avec ou sans l'apport de mes programmes en lecture en classe ordinaire.

---

1. DIR en lecture : Développement intensif du raisonnement en lecture au primaire et au secondaire ; DIR en écriture : Développement intensif du raisonnement en écriture au primaire et au secondaire ; DAL : Développement accéléré de la lecture en 1re année du primaire ; EERCL : Enseignement explicite du raisonnement et de la compréhension en lecture de la 2e année du primaire au secondaire ; EERRE : Enseignement explicite de la rédaction et du raisonnement en écriture au primaire et au secondaire ; JSC : Je suis capable – apprentissage de la lecture au préscolaire 5 ans.

Remise en question à l'origine du programme DIR

La première version du programme Développement intensif du raisonnement (DIR) en lecture, mieux connu sous l'appellation de l'Intervention intensive en lecture, a pris naissance au Québec, dans la région de l'Estrie, au cours de l'automne 1990.

L'origine du programme DIR prend sa source dans une remise en question fondamentale des interventions orthopédagogiques et du dénombrement flottant qui se résume à ceci : l'efficacité des interventions orthopédagogiques est souvent peu probante. Lorsque je dis « peu probante », c'est un euphémisme… La réalité est plus abrupte : il semble que souvent les enfants en difficulté d'apprentissage[2] recevant un service orthopédagogique ne progressent pas et, pire, que certains enfants y obtiennent parfois des résultats plus faibles que s'ils n'y avaient pas participé. Cela ressemble étrangement à l'efficacité de la saignée au Moyen Âge…

Constats dérangeants

Au mois d'août 1990, je suis nommé directeur adjoint d'une école primaire dans la région de l'Estrie au Québec. J'ai lu le livre de Slavin, Karweit et Madden (1989) qui jette un doute sur l'efficacité du dénombrement flottant. Influencé par cette

---

2. Dans ce texte, les termes *enfant en difficulté d'apprentissage* désignent simplement l'enfant dont le rendement scolaire est faible, que l'étiologie de sa difficulté soit imputée à la dyslexie, à une intelligence lente ou à tout autre problème cognitif ou de comportement social. Je ne pense pas que ces distinctions soient pertinentes (Boyer, 2000), compte tenu de l'état anémique actuel de nos connaissances en orthopédagogie.

lecture, je propose bien prétentieusement à l'orthopédagogue professionnelle expérimentée de mon école d'évaluer les effets de ses interventions parce que je les soupçonne d'être décevants... Malgré mon culot – je viens d'être embauché et je n'ai que quelques années d'expérience en enseignement –, l'orthopédagogue de l'école accepte de relever le défi.

L'évaluation rigoureuse des effets des interventions orthopédagogiques n'est pas une pratique courante ni une préoccupation dans les écoles et les commissions scolaires québécoises. Après discussion avec l'orthopédagogue de mon école, afin de trouver une manière d'évaluer objectivement les effets de ses interventions, nous convenons de mesurer le débit de la lecture orale[3] de tous les élèves d'un degré scolaire donné, au début des interventions orthopédagogiques et après quatre et huit semaines d'interventions.

Le but de l'évaluation générale de tous les élèves (ceux en orthopédagogie et ceux de la classe ordinaire avec les mêmes instruments et dans les mêmes conditions) est d'avoir une balise objective afin de jauger la progression des élèves en orthopédagogie. Il n'est pas rare, en effet, de voir un orthopédagogue en extase devant la progression de ses élèves pendant que les titulaires de ces mêmes élèves ont une opinion plus nuancée sur le qualificatif à employer, certains allant même parfois jusqu'à parler de régression... Le problème est simple : l'écart

---

3. Dès le début, nous sommes pleinement conscient que de ne mesurer que le débit de lecture orale (nous évaluons simultanément le débit et l'exactitude ; voir annexe A, p. 77 pour la définition des termes) est un raccourci pour mesurer l'habileté à lire. Cependant, il est évident que l'enfant qui oralise avec difficulté aura presque automatiquement des problèmes de compréhension et celui qui oralise avec facilité aura la possibilité de mieux développer sa compréhension en lecture. Le débit de lecture orale est une mesure importante de l'habileté à lire qui offre des indices fiables sur le développement de la lecture. Mais c'est une mesure insuffisante pour avoir le portrait complet de l'enfant. Cela dit, des mesures de la compréhension en lecture ont été intégrées à notre démarche dès le mois de novembre 1990.

entre les élèves en orthopédagogie et ceux de la classe ordinaire peut s'accentuer même quand les élèves en orthopédagogie progressent. Pourquoi? Simplement parce que les élèves de la classe ordinaire *n'attendent pas* les élèves en orthopédagogie. Pendant qu'un élève en orthopédagogie progresse de dix centimètres, les autres élèves de la classe peuvent progresser d'un mètre, rendant caduque la progression de l'élève en orthopédagogie. L'orthopédagogue, n'ayant pas de balises objectives et indépendantes, peut facilement se fourvoyer dans l'appréciation de l'ampleur de la progression des élèves dont il a la charge. Comme le disait Lecomte du Noüy (1964): «c'est l'échelle d'observation qui crée le phénomène».

Or, même si je m'attends à des résultats mitigés des évaluations de l'efficacité du service orthopédagogique de mon école, je sursaute devant ce que nous observons[4]. Après quatre et huit semaines d'interventions orthopédagogiques, les résultats sont désastreux. En comparant l'écart entre les élèves qui bénéficient du service orthopédagogique à ceux qui n'en bénéficient pas, nous constatons que 60 % des élèves en orthopédagogie ne progressent pas, que 20 % régressent et que seulement 20 % progressent d'une manière relativement significative[5]. C'est à

---

4. À regret, je ne retrouve plus certains écrits documentant cette épopée. De mémoire, il y avait une trentaine d'élèves suivis en orthopédagogie de la 1re à la 3e année. Le groupe des élèves n'étant pas suivis en orthopédagogie (autres élèves des classes ordinaires) devait comprendre près de 80 élèves.

5. Nous ne sommes pas placés dans un contexte nous permettant d'isoler les variables pour circonscrire avec précision les causes de l'échec des interventions, mais nous savons une chose: ça ne fonctionne pas! Le professionnalisme de l'orthopédagogue ne peut être questionné, cette femme se donne entièrement à sa profession. Les activités qu'elle utilise en dénombrement flottant ressemblent aux activités ayant cours à l'époque et encore aujourd'hui: globalisation (activités pour reconnaître la configuration de mots), décodage, conscience de l'écrit (les concepts de mot, lettre, titre, auteur, utilité de l'illustration, etc.), remise en ordre de mots mélangés d'une phrase, remise en ordre de phrases mélangées d'un texte, lecture de phrases et de courts textes, questionnement de la compréhension pendant et après la lecture d'un texte ou d'une phrase, textes *closures* (textes troués que l'enfant doit compléter

partir de ces résultats que le programme DIR commence à prendre forme en s'appuyant sur de nombreuses recherches expérimentales américaines et sur certaines réflexions. La pre- mière mouture de DIR sera expérimentée à l'automne 1990.

Est-ce que les résultats désastreux observés à mon école sont spécifiques à cette école? Non, et cette situation navrante semble être fréquente. Plusieurs auteurs arrivent à des conclusions affligeantes concernant l'efficacité des interventions orthopédagogiques, et plus particulièrement en ce qui concerne le dénombrement flottant (Pikulsi, 1994; Vaughn, Moody et Schumm, 1998). Par contre, les années 1980 et 1990 sont aussi une période faste pour le Langage intégré (Whole Language[6]) en Amérique du Nord. On peut penser que les mauvais résultats des interventions orthopédagogiques à cette époque sont dus aux fortes influences de cette approche sur les pratiques (Vaughn, Moody et Schumm, 1998). Il faut savoir que les effets du Langage intégré, aux antipodes de l'Enseignement explicite, sont plutôt négatifs sur l'apprentissage de la lecture des élèves des milieux socio-économiques défavorisés et des élèves faibles (Jeynes et Littell, 2000; Stahl et Miller, 1989). Il est presque certain que l'influence de cette approche n'a pas favorisé la réussite des élèves en difficulté d'apprentissage en Amérique du Nord. Malheureusement, l'efficacité des interventions orthopédagogiques demeure, encore aujourd'hui, discutable et la participation d'un enfant à ce service peut comporter le risque de le voir régresser plutôt que progresser (Moody *et al.*, 2000; Parent, 2008).

---

avec des mots qui conviennent au sens de la phrase et du texte), dictée de mots et de phrases, explication de la signification de mots nouveaux... Les enfants sont rencontrés individuellement ou en petits groupes de deux à quatre, pour des séances de 30 à 40 minutes, trois à quatre fois par semaine. De plus, la relation entre l'orthopédagogue et ses élèves est excellente.

6. Le Whole Language, tel le phénix, renaît de ses cendres présentement, entre autres appellations, sous celle de « l'Enseignement équilibré de la lecture » (Balanced Reading Instruction).

La recherche de Parent (2008), effectuée en milieu scolaire québécois, est intéressante, malgré certaines faiblesses. La chercheuse suit 16 orthopédagogues qui, eux-mêmes, suivent en dénombrement flottant 72 enfants en difficulté d'apprentissage de la 1ʳᵉ à la 4ᵉ année du primaire. Les élèves sont rencontrés le plus souvent en petits groupes de quatre en moyenne, à raison de cinq à 10 heures par semaine[7]. Le contenu des interventions est varié : activités de conscience phonologique, exercices de décodage, lecture partagée[8], lecture silencieuse, lecture faite aux élèves par l'orthopédagogue, enseignement de stratégies (décodage et compréhension), activités visant le développement du vocabulaire et activités d'écriture (calligraphie, grammaire, composition de phrases, copie de mots, etc.). Les résultats sont catastrophiques : sur une période d'une année scolaire, entre les deux mesures prises[9], 44 % des enfants régressent et 15 % ne progressent pas, ce qui signifie que les résultats

---

7. C'est un questionnaire que les orthopédagogues complètent au cours et à la fin de l'année qui permet à la chercheuse de colliger ces données. Ce mode d'évaluation comporte des limites importantes puisqu'il repose sur le souvenir et la perception des orthopédagogues. Une observation *de visu* aurait été une mesure plus objective du temps réel consacré. D'ailleurs, certains orthopédagogues rapportent avoir consacré de 26 à 28 heures par semaine à certains groupes en dénombrement flottant. C'est plus que le nombre total d'heures d'enseignement par semaine au primaire ! En près de 20 ans de pratique comme consultant en pédagogie, dans plus de 200 écoles primaires au Québec et en Ontario, je n'ai jamais été témoin d'une telle quantité d'heures en dénombrement flottant... On peut présumer que la réalité en termes de nombre d'heures est en deçà des données présentées.
8. La lecture partagée est définie comme « un texte lu en groupe avec le soutien de l'orthopédagogue » (Parent, 2008).
9. En 1ʳᵉ année, l'auteure de cette recherche compare les résultats obtenus à un test de conscience phonologique passé au début de l'année scolaire à un test de compréhension en lecture à la fin de l'année scolaire. De la 2ᵉ à la 4ᵉ année, la chercheuse compare les résultats en compréhension de la fin de l'année en cours aux résultats de la fin de l'année précédente (ex.: le rendement au test de 2ᵉ année au mois de juin versus le rendement au test de 3ᵉ année au mois de juin).

sont plus qu'insatisfaisants pour 59 % des enfants. Pire encore, ces données sont, vraisemblablement, une sous-évaluation de cette réalité déjà décevante. Le critère choisi par la chercheuse pour déterminer qu'un enfant a progressé est un changement de 10 rangs centiles entre les deux mesures d'évaluation (Parent, 2008). Passer du 10e rang centile au 20e rang centile, est-ce faire un progrès significatif ? À ce niveau de rendement, un changement de cette amplitude peut être un simple artefact des mesures utilisées. Un tel changement n'a aucune valeur dans le milieu scolaire et l'enfant concerné demeure avec une difficulté d'apprentissage comparable à celle qu'il avait avant l'intervention orthopédagogique. Donc, le pourcentage des enfants qui n'ont pas réellement progressé et ceux qui ont régressé est probablement nettement supérieur à 60 % de l'échantillon de Parent (2008).

Parent (2008) a apparié aussi des enfants faibles, mais non suivis en orthopédagogie, aux enfants faibles et suivis en ortho-pédagogie[10] afin d'isoler l'effet du dénombrement flottant. Le groupe des enfants faibles non suivis et le groupe des enfants faibles suivis en orthopédagogie de la 1re à la 4e année sont équivalents au départ. En 1re année, à la fin de l'année scolaire, les enfants faibles non suivis terminent avec un rendement jugé significativement plus élevé que les élèves faibles suivis en orthopédagogie. En 2e et 3e année, à la fin de l'année scolaire, le rendement des enfants faibles non suivis est plus élevé que

---

10. Il peut paraître étrange qu'un enfant puisse être faible et ne pas recevoir de services en orthopédagogie. Cela fait partie des incohérences maintes fois observées au Québec, autant dans le système scolaire francophone qu'anglo-phone. L'inverse est également vrai : des enfants sont suivis en orthopédagogie et ne devraient pas l'être puisqu'ils ne sont pas faibles. Ces incohérences, qui sont un secret d'État bien gardé, sont observées par Parent (2008) et par d'autres auteurs (Saint-Laurent *et al.*, 1996). Certains esprits mal tournés vont sans doute dire que compte tenu des données peu réjouissantes présen-tées jusqu'à maintenant dans ce livre, ces enfants faibles non suivis en orthopédagogie sont peut-être mieux servis de cette manière...

les enfants suivis, sans que la différence soit statistiquement significative. Finalement, en 4e année, le rendement des deux groupes est identique. En d'autres mots, cette dernière analyse de Parent (2008) indique que le service orthopédagogique offert aux enfants en difficulté d'apprentissage dans le cadre de cette recherche ne semble pas avoir amélioré leur situation scolaire et que pour certains enfants, en particulier en 1re année, l'intervention orthopédagogique semble même avoir aggravé leurs difficultés.

Devant des données critiques aussi radicales de l'orthopédagogie, certaines personnes objecteraient sans doute qu'il y a tout de même des programmes orthopédagogiques qui sont efficaces, comme par exemple Reading Recovery, très populaire dans le mode anglophone (Australie, Canada, États-Unis, Nouvelle-Zélande, etc.) et qui a fait son apparition au Québec il y a quelques années. Qu'en est-il de ce programme ?

Reading Recovery

Reading Recovery (RR) est un programme qui a été développé par Mary Clay en 1976 en Nouvelle-Zélande (Clay, 1985) dans la mouvance du Langage intégré (Whole Language). Le programme RR s'adresse spécifiquement aux élèves de 1re année[11]. Dans le cadre de RR, les enfants à risque de 1re année sont suivis en individuel, à raison de 30 minutes par jour, pendant minimalement de 12 à 20 semaines. Les activités qu'on y retrouve comprennent, entre autres, l'identification des lettres de l'alphabet, la relecture de petits livres gradués déjà lus, la lecture d'un ou de plusieurs nouveaux petits livres gradués, l'écriture de mots et

---

11. Dans les faits, le programme Reading Recovery s'étend souvent jusqu'en 2e année.

de phrases, la décomposition et recomposition de mots à l'écrit ainsi que la lecture de phrases ou de courts textes composés par l'élève (Clay, 1985; Legault, 2006; Shanahan et Barr, 1995; Elbaum *et al.*, 2000). Le travail sur le décodage n'est pas systématique et se fait seulement en fonction des difficultés rencontrées (ce qui respecte l'esprit du Langage intégré).

Le programme RR présente cependant plusieurs problèmes sérieux. La recension de Shanahan et Barr (1995) conclut que RR est un programme qui obtient des résultats positifs, mais que ces résultats doivent être tempérés par le fait que de 10% à 30% des élèves sont exclus au cours du programme (et des résultats des recherches compilées) s'ils ne progressent pas avec succès ou s'ils s'absentent trop souvent… La méta-analyse de Elbaum *et al.* (2000) conclut simplement que les prétentions des tenants de RR ne sont pas fondées, entre autres parce qu'on évince du programme et du bassin de données approximativement 30% des élèves les plus faibles. La méta-analyse plus récente de D'Agostino et Murphy (2004) conclut que RR est efficace mais, étrangement, sans mentionner la forte mortalité de l'échantillonnage des recherches soulevées par Shanahan et Barr (1995) ainsi que par Elbaum *et al.* (2000). L'élimination de 30% des élèves les plus faibles n'est pas un « petit défaut », c'est une lacune méthodologique fondamentale. Si dans les recherches sur le traitement de la leucémie chez les enfants on avait éliminé systématiquement des échantillons les sujets qui mouraient, donc qui ne répondaient pas bien au traitement, le monde médical n'aurait sûrement pas le niveau actuel de connaissances sur cette terrible maladie et il n'aurait pas atteint le taux de succès de plus de 80% dans certaines variantes de ce cancer. Remercions bien bas les dieux que ceux qui font les recherches en éducation ne soient pas les mêmes qui font les recherches sur le sida ou le cancer du sein!

À cette lacune méthodologique sérieuse, il faut en ajouter une autre tout aussi grave qui a été, à mon humble avis, évacuée jusqu'à maintenant dans les écrits traitant de RR. Les instruments de mesure employés pour valider le progrès des élèves de RR comportent une faiblesse capitale : ils sont majoritairement simplistes et restent périphériques à l'habileté à lire.

Les instruments généralement utilisés pour valider les succès de RR à la fin de l'intervention ou de l'année scolaire sont : 1) l'évaluation de la reconnaissance des lettres majuscules et minuscules ; 2) un test de lecture composé de trois listes de 15 mots isolés choisis parmi les mots les plus fréquents et usuels à l'écrit ; 3) l'évaluation de certains concepts de l'écriture (minuscule et majuscule, mot, phrase, le début du livre, ponctuation, etc.) ; 4) un test d'écriture de mots consistant à demander à l'élève d'écrire le plus de mots qu'il peut en 10 minutes ; 5) une dictée de mots où chaque son bien représenté par l'élève est comptabilisé ; 6) un test de lecture orale consistant à demander à l'élève de lire des petits livres gradués, le niveau de l'élève étant déterminé par le dernier petit livre qu'il peut lire avec au moins 90 % d'exactitude (Clay 1985 ; Elbaum *et al.*, 2000 ; Legault, 2006 ; Shanahan et Barr, 1995).

Les tests n° 1, 2 et 3 ne sont pertinents que dans les toutes premières semaines de l'apprentissage de la lecture. Par la suite, ils sont inappropriés. De plus, l'utilisation de ces instruments risque de surévaluer les enfants en RR. Par exemple, dans le cas du test n° 1 (les lettres de l'alphabet), un bon lecteur de 1re année peut très bien ne pas se souvenir du nom et du bruit des lettres K, W, Y et X en minuscule et en majuscule, confondre le bruit du B et du P, sans que cela handicape sérieusement sa lecture et sa compréhension. Pourtant, le bon lecteur peut obtenir au test n° 1 une note plus faible qu'un enfant de RR simplement parce que ce dernier travaille possiblement encore l'identification des lettres durant les séances de RR. Le test n° 2 (liste de mots à lire parmi les plus fréquents à l'écrit) est essentiellement un test de globalisation (voir annexe A, p. 77) qui est non pertinent quand les enfants savent lire. Il est vrai que normalement un bon lecteur obtient un rendement élevé dans ce genre de test, mais un enfant plus faible en lecture peut obtenir un rendement acceptable ou équivalent au bon lecteur simplement parce que le matériel en usage ainsi que les activités d'écriture en RR sont centrés et conçus à partir des mots les plus fréquents à l'écrit (Clay, 1985 ; Legault, 2006). Le test nº 3 portant sur les concepts de l'écriture est le test de RR le plus éloigné de l'habileté à lire. Cette mesure peut se justifier, mais seulement au tout début de l'apprentissage de la lecture. Ce test peut produire le même genre de distorsions que les tests nº 1 et 2 : un enfant en difficulté d'apprentissage peut obtenir un meilleur rendement qu'un bon lecteur de 1re année, simplement parce qu'on s'attarde à ces aspects en RR. Ce test n'est aucunement un révélateur du niveau de développement de l'habileté à lire. Les tests nº 4 et 5 sont des tests d'écriture qui permettent d'évaluer indirectement le décodage, mais ils ne sont qu'une mesure indirecte et éloignée de l'habileté à lire. Une fois de plus, le rendement des enfants en RR peut être plus élevé dans ces tests sans que cela indique leur niveau réel de lecture. En résumé, les tests nº 1 à 5 mettent l'accent sur des aspects périphériques de l'habileté à lire et certains sont trop simplistes (nº 1, 2 et 3) pour permettre de mesurer la réussite d'une intervention orthopédagogique en lecture.

Il n'y a que le test nº 6 qui concerne directement la lecture, mais il ne mesure que le pourcentage d'exactitude (voir annexe A, p. 77) de la lecture orale. Le pourcentage d'exactitude est une mesure essentielle de la lecture orale, mais s'il n'est pas accompagné d'une mesure du débit (la vitesse ; voir annexe A, p. 77), le pourcentage d'exactitude ne signifie strictement rien. Si un enfant lit un texte à 95 % d'exactitude avec un débit de 25 mots à la minute et qu'un autre lit le même texte, également à 95 % d'exactitude, mais à la vitesse de 50 mots à la minute, c'est ce dernier qui manifeste, d'une manière évidente, le meilleur niveau de lecture orale. Il est fort possible que celui qui lit 50 mots/minute ait une rétention supérieure de l'information et une plus grande possibilité de raisonner à propos du texte que celui qui lit à 25 mots/minute, même si les deux enfants ont le même pourcentage d'exactitude. Le débit de lecture et le pourcentage d'exactitude sont des mesures essentielles de l'habileté à oraliser, mais l'un sans l'autre n'offre qu'une information incomplète et trompeuse.

Les cinq premiers tests utilisés pour valider la progression en RR peuvent probablement donner une information intéressante au tout début de l'apprentissage de la lecture, mais ils n'ont aucune valeur comme évaluation sommative pour témoigner du progrès accompli quant à l'habileté à lire. Pire, l'ensemble de ces tests peut donner des résultats gonflés à l'hélium pour les enfants en RR par rapport aux autres enfants du même âge sans difficultés d'apprentissage.

Toujours dans la veine de l'évaluation, une autre faille importante de RR est le fait que ce programme ne prévoit pas de mesures de la compréhension en lecture. Un programme orthopédagogique en usage depuis plus de 30 ans et qui vise la « réhabilitation » de la lecture, mais qui ne mesure pas la compréhension littérale et inférentielle (voir annexe A, p. 77), au moins à la fin de l'application du programme, c'est comme prétendre évaluer l'habileté à faire de la planche à neige en ne mesurant que la manière d'enfiler les bottes et le casque protecteur ! Être habile à faire de la planche à neige, c'est être capable de descendre des pentes et, pour les plus jeunes et les plus fous, de faire des sauts. Être habile à lire, c'est être capable de lire des textes en assimilant des informations textuelles et en produisant des informations inférentielles, que l'on soit à la fin de la 1re ou de la 8e année[12].

---

12. Legault (2006) conclut que RR est efficace dans une recherche réalisée en Ontario en reprenant sensiblement la même série de tests, sans aucune mesure de la compréhension. Peu convaincant…

Finalement, la dernière faiblesse de RR est de nature économique. RR est un programme très coûteux parce que l'orthopédagogue qui applique ce programme ne peut suivre annuellement, en moyenne, que 16 enfants de 1re année (Shanahan et Barr, 1995 ; Elbaum *et al.*, 2000). La plupart des systèmes scolaires ne peuvent donc pas maintenir ce programme à long terme.

Malgré sa popularité dans le monde anglophone, Reading Recovery est un programme de dénombrement flottant qui présente plusieurs faiblesses importantes. L'élimination — jusqu'à 30 % — des élèves les plus faibles, le recours à des instruments de mesure simplistes et non indicateurs du progrès accompli, l'absence de mesure de la compréhension de la lecture et sa capacité restreinte de toucher plusieurs élèves au cours d'une année scolaire en font un programme orthopédagogique à éviter.

Permettez-moi de conclure qu'à la lumière des informations présentées, il semble y avoir des faits qui remettent fortement en question l'efficacité des services orthopédagogiques, et cela depuis plusieurs années. Comment peut-on expliquer cette déconfiture des interventions orthopédagogiques ? Il y a sans doute plusieurs facteurs concomitants. J'attirerai votre attention, dans les prochaines pages, sur un facteur sous-estimé, le temps et l'intensivité, qui est une des caractéristiques importantes du programme DIR.

Temps et nombres

Les arguments mathématiques ne sont pas prisés dans le domaine scolaire québécois[13]. Pourtant, les nombres nous aident à penser et à distinguer plus clairement plusieurs réalités complexes dans maints domaines de l'activité humaine.

Dès le tout début du programme DIR, la notion de temps occupe une place importante dans les discussions, simplement parce que mathématiquement, il y a un problème évident avec la durée et l'intensité des interventions orthopédagogiques, telles que pratiquées dans la majorité des milieux scolaires québécois[14].

---

13. Cette allergie aux nombres et à la statistique est le reflet, d'une part, de la faible culture scientifique en pédagogie et, d'autre part, de la dévalorisation de la rigueur au cours des dernières décennies dans l'ensemble des milieux de l'éducation. Il faut préciser que le courant pédagogique dominant depuis plus de 35 ans au Québec, à la saveur romantique et hautement idéologique, ne semble pas être compatible avec la rigueur. De toute évidence, le ministère de l'Éducation québécois et les commissions scolaires ne voient pas l'intérêt de savoir combien d'enfants en 1re année sont récupérés par les services orthopédagogiques ou combien d'enfants savent lire en 1re année au mois de juin ou quels sont les effets de la dernière réforme des programmes sur les apprentissages des élèves. Quand ils se penchent sur ces questions, ils le font d'une manière tellement peu rigoureuse qu'on est en droit de se demander s'ils s'intéressent réellement à la question et à la réponse. Les formes de « recherches » privilégiées ne sont souvent que le sondage, le groupe de discussion et la consultation d'« experts ». Au final de ces « recherches », on accouche de documents aux réponses attendues, qui ne contredisent jamais l'idéologie pédagogique dominante. Il est triste de réaliser que les facultés d'éducation des universités québécoises n'ont assumé aucun leadership audible et visible depuis des décennies pour amener plus de rigueur dans le milieu scolaire. En fait, elles n'ont été que les fidèles zélés, parfois même intégristes, du courant pédagogique dominant, en semblant même limiter par leurs critères formels et informels d'embauche toutes critiques et voix discordantes. Ce faisant, les facultés d'éducation québécoises sont devenues des lieux de croyances plutôt que des lieux de recherches et de connaissances.

14. À mon avis, c'est sensiblement la même réalité dans le système francophone et anglophone québécois ainsi que francophone ontarien.

Afin d'aborder la notion de temps de manière concrète, voici la description sommaire d'un cas d'élève en difficulté importante d'apprentissage.

Au mois de septembre, après une évaluation orthopédagogique, un élève de 3ᵉ année, qui répond au nom de José Miguel, lit oralement 15 mots à la minute en débit-exact (voir annexe A, p. 77) avec une exactitude de 65 % et un niveau de compréhension en lecture de 10 %. Peu importe le milieu scolaire, cette brève description devrait correspondre à un enfant qui manifeste un retard scolaire d'environ deux ans. José Miguel va bénéficier du service orthopédagogique en dénombrement flottant au cours de la 3ᵉ année qui débute, à raison de quatre séances d'intervention de 30 minutes par semaine, en individuel et en petits groupes. Ce qui peut sembler, de prime abord, être un « traitement royal » est en fait un billet garanti pour l'approfondissement et la cristallisation de son échec. La démonstration est mathématique, mais repose tout de même sur quelques assertions qui seront, je crois, agréées par la majorité des professionnels scolaires, incluant le personnel enseignant.

Première assertion : si l'enfant moyen apprend à lire en 1ʳᵉ année dans le cadre d'un enseignement collectif de 227 heures (voir annexe C, p. 81), un enfant qui termine sa 1ʳᵉ année en ne connaissant pas les lettres de l'alphabet et donc en ne sachant pas lire aura besoin d'au moins 227 heures pour apprendre à lire. Deuxième assertion : si l'enfant moyen en 2ᵉ année progresse en lecture avec 190 heures au cours de l'année (voir annexe C, p. 81), l'enfant qui termine sa 2ᵉ année en ne sachant pas lire aura besoin d'au moins 417 heures pour apprendre, ce qui correspond à l'addition des heures de la 1ʳᵉ année et de la 2ᵉ année de scolarité (227 + 190 = 417 heures). Les retards d'apprentissage sont cumulatifs. Troisième assertion : pour qu'un enfant en difficulté d'apprentissage récupère une partie de son retard, il devra progresser plus rapidement que les autres élèves de son degré scolaire puisque ces derniers continueront à progresser pendant que se déroulera l'intervention orthopédagogique. Beau défi, n'est-ce pas ?

Revenons au « traitement royal » de José Miguel qui ne sait pas lire en début de 3ᵉ année et qui aura quatre séances de 30 minutes d'intervention par semaine (en individuel et en petits groupes). Si on calcule son retard en termes d'heures manquantes d'apprentissage, il faut prendre en compte le nombre d'heures dont les autres enfants ont bénéficié pour apprendre à lire jusque-là, c'est-à-dire 417 heures. Pour toutes sortes de raisons, José Miguel n'a pas profité pleinement de ces heures d'enseignement, même s'il était présent dans la classe au cours de ces deux années. Cependant, puisqu'il lit à 15 mots/minute avec une exactitude de 65 %, cela signifie qu'il connaît la plupart des lettres usuelles de l'alphabet, même s'il en confond encore sûrement quelques-unes ; il a donc profité quand même un peu de l'enseignement dispensé. Pour tenir compte de cet apprentissage, je retire 30 heures d'enseignement aux 417 heures, ce qui équivaut *grosso modo* au nombre d'heures nécessaires pour apprendre, dans le cadre d'un enseignement explicite structuré, le nom et le bruit des lettres de l'alphabet ainsi qu'à initier le début du décodage[15]. José Miguel a donc un déficit d'heures d'apprentissage d'environ 387 heures (417 - 30 = 387 heures).

Si le service orthopédagogique octroie à José Miguel le « traitement royal » qui consiste à quatre séances de 30 minutes par semaine pendant toute l'année scolaire (36 semaines au Québec), et en supposant que l'intervention débute dès la première semaine et se termine la dernière semaine de l'année scolaire, cela signifie qu'il bénéficiera de 72 heures d'interven-

---

15. Pour une tentative d'analyse plus détaillée du temps d'apprentissage en 1ʳᵉ année versus le retard d'apprentissage, consulter l'annexe D (p. 82).

tions orthopédagogiques (30 minutes × 4 séances × 36 semaines ÷ 60 minutes = 72 heures)[16].

Peut-on légitimement penser que José Miguel pourra avoir une chance de récupérer son retard en recevant 72 heures d'enseignement au lieu des 387 heures manquantes? Cela correspond à 19% du temps que les autres élèves ont utilisé pour apprendre… En d'autres mots, il faudrait que José Miguel, qui a deux ans de retard, progresse cinq fois plus vite dans son apprentissage que les autres élèves qui n'ont pas eu de difficulté. Mais ce n'est pas tout! Étant donné que les autres élèves continueront à progresser au cours de l'année, il faut que José Miguel rattrape son retard de deux ans en moins de temps que les autres ont pris pour apprendre, tout en ne perdant pas les apprentissages de l'année scolaire en cours, même si son rendement en lecture ne lui donne pas accès à cet enseignement. Au final, José Miguel devra apprendre, non pas cinq fois plus vite que les autres, mais environ six fois plus vite que les autres pendant les 72 heures d'intervention orthopédagogique qu'il recevra en 3e année pour prendre en compte l'année scolaire en cours…

Malgré que la présente analyse soit un exercice de rhétorique mathématique, elle démontre quand même d'une manière limpide l'énorme paradoxe auquel est confronté l'orthopédagogue qui doit faire progresser des enfants en difficulté d'apprentissage plus rapidement que les enfants sans difficulté du même âge dans un laps de temps restreint[17] s'il veut donner

---

16. Dans la *vraie vie* des écoles québécoises, le total des heures est inférieur parce que les interventions orthopédagogiques commencent généralement une à trois semaines après le début de l'année et se terminent une à trois semaines avant la fin de l'année scolaire.

17. Au cours des dernières années, nous avons vu apparaître deux types d'orthopédagogues: le type curatif et le type soins palliatifs. Le type curatif tente de réduire l'ampleur des difficultés des élèves en proposant des actions visant les apprentissages à faire tandis que le type soins palliatifs reconnaît

une chance aux enfants en difficulté de récupérer leur retard ou une partie de leur retard.

La prise en considération du temps nécessaire pour récupérer l'apprentissage « perdu » peut expliquer en partie pourquoi les interventions orthopédagogiques auprès des enfants qui ont un retard important donnent si peu de résultats tangibles. La sous-estimation du temps nécessaire est quasi constante dans les milieux scolaires. En plus, ce n'est souvent qu'après deux ou trois ans de scolarité qu'on commence à considérer sérieusement le gouffre qui sépare l'enfant en difficulté des autres enfants de sa cohorte. Il faudrait déciller les yeux beaucoup plus rapidement. Selon mon expérience, dès qu'un enfant cumule un retard qui correspond à la moitié de la progression de son groupe d'appartenance, même s'il n'est qu'en 1re année, il est en très mauvaise posture. Par exemple, si nous sommes au début du mois de février en 1re année et qu'un enfant de la classe se situe au niveau de la fin octobre en termes d'apprentissage, il cumule déjà un retard de plus de la moitié de la progression de son groupe. Cet enfant, en dépit des scrupules de certains à sonner l'alarme si tôt dans la scolarisation, est déjà en difficulté importante d'apprentissage : il n'a parcouru au mieux que la moitié du chemin fait par les autres. Ce type de situation est très pénible pour l'enfant concerné puisqu'il ne peut pas suivre et accomplir les activités de la classe. Des énergies considérables en temps et en efforts devront être déployées promptement en orthopédago-

---

« le handicap » et propose principalement des solutions éducatives qui limitent dans les faits les apprentissages ultérieurs des enfants en difficulté (ex. : on lit leur texte à leur place, on écrit pour eux, on compte pour eux, on parle pour eux, on interdit de les faire lire plus de cinq minutes à cause de leur handicap, etc.). Les enfants en difficulté, qu'ils aient été ou non « handicapés » au départ, le deviennent à coup sûr dans les conditions offertes par l'orthopédagogue de type soins palliatifs.

gie[18] pour que cet écart d'apprentissage ait une chance d'être réduit.

Alors, est-ce que José Miguel a une chance d'améliorer son sort grâce au « traitement royal » qu'on lui offre ? Probablement pas. De plus, le fait que les interventions orthopédagogiques en dénombrement flottant sont étalées sur l'année scolaire dilue encore plus l'effet possible du traitement. La progression, si progression il y a, risque d'être tellement lente qu'elle ne sera pas observable par José Miguel, ni par son environnement social (parents, titulaire, élèves et amis). Dans le domaine du comportement humain, lorsque les apprentissages ou les changements ne sont pas apparents, ils n'existent simplement pas, même si une mesure hypersensible et statistiquement valide vient témoigner du contraire.

Bien des auteurs ont proposé une augmentation du temps et de l'intensivité des interventions orthopédagogiques au cours des années (Madden et Slavin, 1989 ; Parent, 2008 ; Pikulski, 1994 ; Torgesen, 2000 ; Vaughn, Moody et Schumm, 1998) afin d'accroître l'efficacité de ces interventions. La présentation mathématique précédente milite dans le même sens. Mais contrairement à ce que l'on pourrait penser, les résultats des recherches concernant l'intensivité, à ce jour, semblent ambivalents. Pour illustrer succinctement l'état de la problématique, je réfère à deux recherches récentes qui m'offrent également la possibilité de mettre en lumière deux éléments primordiaux des interventions orthopédagogiques.

---

18. Quand l'écart d'apprentissage est aussi grand, le titulaire de la classe ordinaire peut faire certaines choses pour ralentir la détérioration pédagogique de cet enfant, mais il ne peut le récupérer dans le contexte de la classe.

Temps et intensivité

La recherche de Harn, Linan-Thompson et Roberts (2008) compare deux interventions orthopédagogiques en 1re année relativement identiques qui diffèrent quant à leur intensivité. Cette recherche porte sur un échantillon de 54 enfants à risque du Texas et de l'Oregon. Les enfants sont vus en groupe de quatre ou cinq dans les deux sites. Il n'y a pas d'autre groupe de comparaison. Les enfants du Texas bénéficient de séances de 30 minutes par jour, cinq jours par semaine pendant 25 semaines, tandis que ceux de l'Oregon profitent de séances de 60 minutes au même rythme, mais pendant 24 semaines. Le contenu des séances des deux groupes porte sur la connaissance des lettres, le décodage, la lecture fluide de mots et de textes ainsi que le développement de la compréhension littérale et inférentielle. L'enseignement explicite et direct est le modèle d'enseignement mis en place dans les deux sites. Des mesures sont prises afin de s'assurer que l'enseignement est donné de la manière attendue aux deux endroits. Les résultats indiquent que le groupe de l'Oregon (60 minutes) obtient des résultats significativement supérieurs au groupe du Texas (30 minutes) sur l'ensemble des instruments de mesure, exception faite de la mesure de la compréhension en lecture. L'effet le plus probant s'observe quant à la mesure de la fluidité de la lecture orale de texte. Le groupe de l'Oregon termine avec une moyenne de 24 mots/minute[19] en débit-exact, tandis que le groupe du Texas obtient une moyenne de 14 mots/minute en débit-exact. Les auteurs concluent, avec les précautions d'usage en recherche,

---

19. Harn, Linan-Thompson et Roberts (2008) mentionnent dans leur texte un rendement de 22 mots/minute (p. 122), mais dans le tableau ils nous présentent un rendement de 23,57 mots/minute (p. 121). Il n'y a pas de différence entre les informations du texte et du tableau quant au groupe du Texas.

que les enfants de 1ʳᵉ année à risque qui reçoivent un traitement plus intensif progressent significativement plus.

La recherche de Wanzek et Vaughn (2008) se déroule également en 1ʳᵉ année avec un échantillon d'enfants à risque. Une des particularités de cette recherche est que les enfants à risque retenus ont déjà bénéficié d'une mesure de récupération orthopédagogique avant le mois de décembre, mais sans succès. La recherche s'échelonne sur deux ans avec des élèves de 1ʳᵉ année. La première année de la recherche, les enfants à risque retenus sont divisés en deux groupes : le groupe orthopédagogique (21 enfants) et le groupe de comparaison (29 enfants ; sans interventions orthopédagogiques). Le groupe orthopédagogique reçoit 30 minutes par jour d'enseignement en petits groupes de quatre à cinq enfants pour un total de 25 heures d'interventions. La deuxième année, les enfants à risque retenus (de 1ʳᵉ année) sont divisés en deux groupes : le groupe orthopédagogique (14 enfants) et le groupe de comparaison (22 enfants ; sans interventions orthopédagogiques). Le groupe orthopédagogique reçoit 60 minutes par jour d'enseignement en petits groupes de quatre à cinq enfants pour un total de 50 heures d'interventions. Les deux groupes orthopédagogiques bénéficient d'un enseignement explicite et direct portant essentiellement sur le décodage (incluant la conscience phonologique), le développement de la fluidité ainsi que de la compréhension littérale et inférentielle. Des mesures sont également prises afin de s'assurer que l'enseignement est donné de la manière attendue dans les deux groupes (30 et 60 minutes). Les auteurs constatent que le groupe orthopédagogique bénéficiant de 25 heures obtient des résultats similaires au groupe orthopédagogique bénéficiant de 50 heures. Ces résultats n'appuient donc pas la thèse de la nécessité d'une intervention plus intensive.

Les résultats et les conclusions de la recherche de Harn, Linan-Thompson et Roberts (2008) et de celle de Wanzek et Vaughn (2008) diffèrent. Comment peut-on expliquer cette divergence? D'abord, avant de répondre, je me dois de revenir sur la recherche de Harn, Linan-Thompson et Roberts (2008) qui conclut qu'une intervention plus intensive entraîne un gain d'apprentissage plus grand en lecture. Malgré le fait que les résultats de cette recherche soient limpides, j'attire votre attention sur un fait. À la fin de l'intervention, le groupe de l'Oregon (60 minutes) obtient un rendement moyen de 24 mots/minute en débit-exact comparativement à un rendement de 14 mots/minute pour le groupe du Texas (30 minutes). La différence est statistiquement significative. Les auteurs ajoutent que le résultat de 22 mots/minute (*sic*) pour le groupe de l'Oregon, quoiqu'il ne soit pas pleinement satisfaisant, demeure en dehors de la zone de risque (« […] 22 words per minute by the end of intervention, a level that, although not on track, is not considered significantly at risk », p. 122, Harn, Linan-Thompson et Roberts, 2008). Si ce résultat a été obtenu à la fin de l'année scolaire (fin mai, début juin), à mon avis, ils font erreur. Un rendement de 22 ou 24 mots/minute à la fin de l'année scolaire est un rendement qui annonce une régression importante au cours de l'été, que la langue d'usage soit l'anglais, le français ou l'espagnol[20]. De plus, l'absence de différence significative sur la mesure de compréhension en lecture semble indiquer que l'intervention orthopédagogique du groupe de l'Oregon n'a pas été optimale. Il faut savoir que dans le cadre de l'intervention d'une heure (groupe de l'Oregon), entre les mois de novembre et janvier, 10 minutes par jour sont dédiées au développement de la fluidité (vitesse) et 15 minutes par jour au développement de la com-

---

20. Je base mon jugement sur les applications du programme DIR en français au Québec et en Ontario, en anglais au Québec et en espagnol en République dominicaine (DIR modifié). Que ce soit en français, en anglais ou en espagnol, sous les 27 mots/minute en débit-exact, l'apprentissage de la lecture est très instable et très friable. En dessous de ce rendement minimal, les deux mois de vacances, généralement sans lecture, entraînent des régressions substantielles, pouvant aller jusqu'à la perte totale de l'apprentissage fait.

préhension littérale et inférentielle. Le reste du temps, 35 minutes, est consacré au décodage. Entre les mois de février et juin, ce sont respectivement 20 minutes pour la fluidité et 35 minutes pour la compréhension. C'est, à mon humble avis, nettement insuffisant pour atteindre un niveau de fluidité solide et encore moins pour développer une compréhension littérale et inférentielle acceptable, particulièrement avec des enfants en difficulté d'apprentissage. Cela peut facilement expliquer pourquoi ils n'ont pas de résultats probant en compréhension et des résultats si faibles en fluidité (quoique plus élevés que le groupe du Texas de 30 minutes). Cette recherche (Harn, Linan-Thompson et Roberts, 2008) est une démonstration de l'importance de l'intensivité, mais elle n'a pas généré un gain d'apprentissage suffisamment important pour qu'on puisse parler de réussite véritable sur le plan de la récupération d'un retard d'apprentissage. Une intensivité encore plus grande doit être envisagée afin d'avoir une chance d'ouvrir la porte à une réussite réelle et perceptible socialement.

Les deux recherches sont au diapason en ce qui a trait aux constats contemporains de la recherche sur l'enseignement efficace (Bissonnette, Richard et Gauthier, 2006; National Reading Panel, 2000; Pressley, 2000; Rand Reading Study Group, 2002; Rupley, Blair et Nichols, 2009; Swanson, 1999; Therrien, 2004 – enseignement direct et explicite, enseignement du décodage, développement de la fluidité en lecture orale, développement de la compréhension littérale et inférentielle). Cependant, il leur manque un élément essentiel: le recours à un système de renforcement béhavioral efficace et explicite. Une intervention orthopédagogique demande aux enfants en difficulté des efforts considérables et complètement hors-normes dans un domaine souvent en train de devenir hautement aversif pour eux. Et on voudrait qu'ils le fassent pour les joies pures de l'apprentissage et pour le plaisir inhérent à l'acte de lire? Répondre par l'affirmative à cette question relève d'une idéologie étroite et d'un manque de sensibilité et d'emphathie envers les enfants. Plus nous avons des attentes élevées – et récupérer un retard d'apprentissage est nécessairement un exemple d'attente élevée – plus nous devons apporter à ces enfants un support cognitif et affectif substantiel. Le recours à un système de renforcement béhavioral explicite et efficace est un élément essentiel à ce support affectif.

Dans la recherche de Wanzek et Vaughn (2008), qui n'observe pas de différence entre 25 et 50 heures, les intervenants auprès des enfants précisent qu'ils ont éprouvé des problèmes importants de comportements (fatigue des élèves, augmentation des comportement inapropriés) dans le deuxième volet de 30 minutes (sur 60 minutes) du groupe de 50 heures. Si les problèmes de comportement étaient sérieux, cela peut expliquer pourquoi cette recherche ne démontre pas de différence entre les deux groupes, contrairement à la recherche de Harn, Linan-Thompson et Roberts (2008). La deuxième tranche du traitement (de 30 minutes sur 60 minutes) n'aurait simplement pas été « reçue ». Un système de renforcement béhavioral explicite et efficace aurait pu encourager les enfants à déployer les efforts nécessaires, en dépit de la fatigue ainsi que du non-intérêt possible envers la lecture et les activités proposées.

Des recherches indiquent que l'augmentation de l'intensivité peut produire des gains d'apprentissage, et la recherche de Harn, Linan-Thompson et Roberts (2008) en est un exemple. Mais les résultats de cette recherche auraient probablement pu être supérieurs et significatifs au niveau de la compréhension et du débit-exact (fluidité) avec une intensivité encore plus grande. D'autres recherches indiquent que l'augmentation de l'intensivité ne produit pas tout le temps des gains supérieurs, comme la recherche de Wanzek et Vaughn (2008). Mais si les auteurs de cette recherche avaient intégré un système de renforcement béhavioral explicite et efficace, ils auraient possiblement pu éviter ou réduire les problèmes de comportement et ils auraient alors peut-être pu observer de meilleurs rendements en amenant les enfants à se dépasser malgré les irritants de l'intervention orthopédagogique.

La logique mathématique de temps d'apprentissage *perdu* et certaines recherches comme celle de Harn, Linan-Thompson et Roberts (2008) plaident en faveur d'une plus grande intensivité de l'intervention orthopédagogique, et cela, depuis de nombreuses années (Madden et Slavin, 1989). Le programme DIR a été influencé dès le départ par ces arguments. Les premières interventions DIR se déroulaient sur une période de 45 à 60 minutes par jour. Très rapidement, en comparant les résultats des enfants en orthopédagogie au rendement des enfants de la classe ordinaire, que l'on désigne par les termes « groupe de référence », il a fallu conclure que la durée n'était toujours pas suffisante pour entraîner un gain d'apprentissage substantiel. À cette époque, les interventions DIR s'échelonnaient sur une période de six à 15 semaines. La durée des séances est passée graduellement de 60 minutes à 120 minutes. Ce n'est qu'à partir de 120 minutes que des résultats intéressants ont commencé à poindre, au niveau du débit et de la compréhension en lecture. Il est devenu assez clair qu'en deçà de 120 minutes, il n'y a pas assez de temps pour travailler intensément la compréhension littérale et inférentielle ainsi que la fluidité avec des enfants présentant un retard pédagogique important. Quelques tentatives ont été faites au-delà de 120 minutes par jour, mais sans succès notable.

La séance de 120 minutes semble maximiser la possibilité que l'enfant en difficulté fasse un gain d'apprentissage assez important pour qu'il puisse lui-même l'observer (et son environnement social aussi), ce qui peut devenir extrêmement gratifiant pour l'enfant. Les 120 minutes ont été scindées, au départ, en deux périodes de 60 minutes entrecoupées d'une récréation ou d'une pause de 10 à 20 minutes. Aussi étrange que cela puisse paraître de prime abord, c'est lorsque les 120 minutes étaient scindées par une longue pause que l'on constatait le plus de problèmes de mobilisation des enfants au retour de la 2ᵉ période, comparé aux séances de 120 minutes comportant une pause de moins de cinq minutes. Je pense que l'explication réside dans l'effet d'un arrêt dans un exercice d'endurance. Si vous courrez 10 kilomètres et que vous faites une pause de plusieurs minutes à mi-chemin, il est fort possible que l'effort pour repartir vous paraisse particulièrement exigeant, plus exigeant que si vous aviez couru sans vous arrêter. Cela semble être sensiblement le même phénomène.

Le programme DIR se déroule sur une période de 8 à 10 semaines, à raison de 120 minutes quotidiennes[21]. Les 120 minutes incluent une pause de moins de 5 minutes. Au total, pour qu'on puisse parler d'intensivité, le critère retenu est que les élèves doivent avoir reçu un minimum de 76 heures au cours d'une période de 8 à 10 semaines.

La recherche de Wanzek et Vaughn (2008) indique que des problèmes de comportement peuvent surgir lorsqu'on augmente l'intensivité. On impute habituellement ces problèmes à l'influence de la fatigue des enfants et de leur manque d'intérêt envers les tâches proposées. La prochaine section présente l'encadrement motivationnel du programme DIR dont l'objectif est de réduire la probabilité d'émergence des problèmes de comportement avec les enfants en difficulté, tout en les incitant à maintenir une attention élevée et une forte motivation à réaliser les activités proposées. L'encadrement motivationnel du programme DIR nécessite l'exploitation simultanée de plusieurs avenues.

---

21. Au secondaire, les séances sont de 150 minutes par jour.

Encadrement motivationnel et état émotionnel

Comment faire en sorte que des enfants en difficulté d'apprentissage soient attentifs et hautement motivés dans le cadre d'une intervention aussi intense que le programme DIR? La réponse est multiple. Mais avant d'aborder cet aspect, il faut bien comprendre la situation émotionnelle de certains des enfants en difficulté d'apprentissage.

Les enfants en difficulté d'apprentissage vivent quotidiennement des expériences aversives en lien avec leurs apprentissages scolaires. Seligman (1975) a mis en lumière les conséquences d'une telle situation qui se répète sans que l'intéressé puisse la fuir ou la régler. L'apprentissage qui en découle se nomme l'apprentissage de son incapacité (Seligman, 1975; Ambrason, Seligman et Teasdale, 1978). Cet apprentissage particulier fait en sorte qu'on apprend à ne plus apprendre. Je pense que plusieurs enfants en difficulté d'apprentissage font rapidement l'apprentissage de leur incapacité à des degrés divers (Butkowsky et Willows, 1980)[22].

L'apprentissage de son incapacité produit des sentiments négatifs à l'endroit des stimuli de l'environnement où s'est fait cet apprentissage (exemples possibles dans le cas de l'école : les livres, les activités d'apprentissage utilisées, le titulaire, la classe, etc.). Une certaine passivité s'installe lorsque l'enfant se retrouve dans les conditions de l'apprentissage de son incapacité et, évidemment, son esprit ne se mobilise pas dans les situations d'apprentissage similaires à celles dans lesquelles il a échoué (Seligman, 1975). Au cours des années, j'ai pu observer que certains enfants en difficulté sont tristes et cognitivement

22. Également, les enfants en difficulté d'apprentissage peuvent avoir une perception négative de soi (Gans, Kenny et Ghany, 2003; Shevlin et O'Moore, 2000) et sont plus souvent la cible d'intimidation (Luciano et Savage, 2007; Mishna, 2003).

passifs, pour ne pas dire déconnectés de leur environnement scolaire. Certains de ces enfants semblent avoir des doutes face à leur valeur intrinsèque et à leur intelligence (Light et Kistner, 1986) et certains peuvent développer un état dépressif, sans doute dû à l'apprentissage de leur incapacité (Maag et Reid 2006 ; Wright-Strawderman et Watson, 1992).

Donc, en plus de la fatigue potentielle inhérente à la durée d'une séance intensive, le phénomène de l'apprentissage de son incapacité peut venir complexifier la problématique de faire progresser significativement certains élèves en difficulté d'apprentissage. L'encadrement motivationnel d'une intervention orthopédagogique se doit donc d'être optimal. Les prochains éléments que nous allons examiner vont dans ce sens.

Attention à la tâche et implication des élèves

Dans le modèle de l'Enseignement direct (*Direct Instruction*), on maintient l'attention à la tâche des élèves en installant un tempo rapide dans l'enseignement (Carnine, Silbert et Kameenui, 1997). Dans le milieu de l'orthopédagogie au Québec, on entend souvent qu'il faut aller au rythme des enfants, ce qui se traduit bien souvent par une lenteur digne de la mélasse en vacances. La meilleure façon de plonger des enfants en difficulté dans un état comateux, c'est d'y aller très lentement, en ne bousculant rien. Si on désire réellement attirer l'attention des élèves et la conserver, il faut, au contraire, imprimer un tempo cadencé et rapide dans les activités et l'enseignement.

Un tempo rapide et cadencé se crée de multiples façons : solliciter fréquemment les élèves à répondre (en chœur ou individuellement) ; varier les activités (plus de sept activités à l'heure) ; assurer des transitions rapides entre les activités (moins de 20 secondes) ; avoir des activités brèves (moins de cinq minutes). D'autres éléments influencent le tempo. Pour que le tempo se maintienne, il faut que les élèves puissent s'impliquer dans les tâches proposées. Le niveau d'implication des élèves découle, entre autres, de leur bonne compréhension de ce qu'ils doivent faire et du «pourquoi» ils doivent le faire. Pour atteindre cet objectif, la clarté des consignes et l'apport de l'Enseignement explicite sont essentiels (voir la section *L'Enseignement explicite de la lecture*). De même, le système béhavioral d'économie de jetons joue un rôle central en mettant en relief les manières de s'impliquer ainsi qu'en valorisant et en encourageant les comportements cognitifs désirés (voir la section *Trois sources de la motivation humaine*).

Lorsque les élèves manifestent une certaine fatigue, il faut augmenter le tempo. C'est exactement le même phénomène que lorsque vous conduisez votre voiture et que vous êtes fatigué. Pour maintenir votre état d'éveil, vous augmentez le volume de la radio, baissez la vitre pour laisser entrer de l'air frais, remuez sur votre siège et peut-être chantez-vous à tue-tête, au risque de traumatiser les gens qui vous accompagnent. Pour rester éveillé, vous allez augmenter la fréquence et la force des stimuli, pas les diminuer. Lorsque les élèves sont fatigués et que vous devez capter leur attention, vous devez également augmenter la fréquence (le tempo) et la force des stimuli et miser sur l'imprévisibilité. L'Enseignement direct tel que préconisé par Carnine, Silbert et Kameenui (1997) propose un enseignement prévisible, suivant une routine bien établie d'activités. Pour stimuler et maximiser l'attention des élèves, il faut, à l'inverse, introduire la notion d'imprévisibilité dans les interventions. L'imprévisibilité est présente, par exemple, lorsque les élèves ne font pas tous les jours les activités dans le même ordre[23], lorsque les élèves ne savent jamais qui va être désigné pour répondre à une question ou si la réponse à la question doit être dite en chœur ou en solo,

---

23. Ce qui n'empêche pas que certaines activités peuvent conserver un créneau particulier dans l'horaire parce qu'elles sont préalables à d'autres ou pour toute autre raison.

lorsque les élèves sont surpris par une nouvelle contingence en vigueur dans le cadre du système béhavioral d'économie[24], lorsque les élèves ont accès à du nouveau matériel sans l'avoir prévu... L'imprévisibilité, en gardant les enfants en éveil et sur le qui-vive, attise leur attention à la tâche tout en créant une certaine fébrilité positive dans la classe.

Une bonne implication dans la tâche signifie que les élèves participent pleinement aux activités. Plus précisément, cette bonne implication signifie également qu'ils font des efforts pour tenter de comprendre ce qu'on leur enseigne, ce que l'on attend d'eux et pour surmonter les difficultés inévitables qu'ils rencontrent. L'attention à la tâche est nécessaire, mais insuffisante pour que l'implication des élèves soit optimale. La motivation à s'impliquer doit être présente et forte pour contrer l'effet démobilisateur des situations aversives et insécurisantes inhérentes à l'apprentissage, et encore plus dans le cadre d'une intervention orthopédagogique.

Trois sources de la motivation humaine

L'être humain est ainsi fait qu'il agit en fonction de diverses motivations. Schématiquement, les motivations humaines peuvent être divisées en trois sources : 1) une personne agit parfois pour le plaisir intrinsèque que lui procure cet agissement (motivation intrinsèque) ; 2) une personne agit parfois pour faire plaisir à quelqu'un ou pour ne pas lui déplaire (motivation extrinsèque) ; 3) une personne s'active parfois simplement pour

---

24. Une contingence est un lien entre un comportement et une conséquence à ce comportement. Dans le cas qui nous intéresse, l'orthopédagogue peut, par exemple, annoncer aux élèves que « dans les prochaines minutes, les élèves qui utilisent d'eux-mêmes les moyens de dépannage enseignés dans leur lecture orale recevront 500 points ». Cela surprend les élèves si la valeur de ce comportement était précédemment, par exemple, de seulement 10 points.

obtenir une récompense (argent ou autre ; motivation extrinsèque). À part quelques grands sages mystiques à la respiration contrôlée et aux yeux mi-clos, nous sommes tous mus par ces trois sources de motivation.

Il vous arrive parfois d'aller travailler parce que vous aimez profondément votre travail (motivation n° 1). Je vous souhaite que cette source de motivation ne se tarisse jamais, mais il se peut qu'un jour vous alliez à votre travail et que vous fassiez quelque chose, non pas parce que vous êtes convaincu que c'est la bonne chose à faire, mais parce que vos collègues ou votre patron, que vous aimez bien, vous le demandent. Vous agissez alors selon les attentes des autres (motivation n° 2). Finalement, à moins d'être indépendant de fortune et à l'épreuve des aléas de la vie, il vous arrive aussi parfois d'aller travailler simplement parce que l'argent déposé dans votre compte par votre employeur vous permet de payer votre logement et de planifier un voyage dans les Caraïbes au mois de mars. Si vous êtes mu par ces trois sources, vous agissez simplement comme tout être humain normal.

Si ce qui précède est vrai, alors pourquoi avons-nous des attentes motivationnelles envers les enfants qui relèvent du pur mysticisme ? À ma connaissance, et selon mon expérience, je peux vous certifier que les enfants sont des humains... Si c'est le cas, alors pourquoi faudrait-il qu'ils soient mus plus que nous par la motivation intrinsèque[25] ? Au cours des dernières années, la motivation dite intrinsèque a été déifiée tandis que la moti-

---

25. Je n'aborderai pas le fait que la notion même de motivation intrinsèque est hautement discutable. De plus, la motivation intrinsèque est habituellement décrite comme la motivation humaine la plus pure. Est-ce vraiment le cas ? Je crois que la motivation intrinsèque peut parfois inciter certaines personnes à une conduite quasi autistique, tant ces gens sont immergés dans ce qu'ils font. Il me semble également que la motivation intrinsèque (n° 1) est une motivation égoïste – faire quelque chose pour le plaisir de la faire – tandis que la motivation extrinsèque n° 2 – faire quelque chose pour d'autres – est celle qui m'apparaît la plus humaine et la plus en lien avec notre éventuelle survie comme espèce...

vation extrinsèque a été dénoncée comme étant une procédure dangereuse, entre autres au Québec (Archambault, 1997).

Dans le cadre d'une intervention orthopédagogique, il est indispensable et professionnellement impératif de fournir aux enfants un encadrement motivationnel optimal. Cet encadrement doit stimuler leur attention à la tâche et toutes les sources possibles de motivation doivent être exploitées afin de maximiser l'implication intense des enfants dans les tâches d'apprentissage. Comment peut-on alimenter les trois sources de la motivation ? La suite de cette section propose des pistes.

Motivation intrinsèque
(n° 1 – pour le plaisir de le faire)

La motivation intrinsèque peut être suscitée par diverses procédures. Il y a cependant une contrainte : la lecture ne peut devenir une activité intrinsèquement motivante que si... on sait lire[26]. Si un enfant ne sait pas lire, il peut aimer « se faire lire des histoires », mais alors ce n'est pas la lecture en soi qu'il aime, c'est se faire lire des histoires[27].

À partir du moment où les enfants lisent avec un débit-exact de plus de 27 mots/minute, il est important de leur soumettre des livres véritables, des œuvres de fiction et des ouvrages informatifs. Si les enfants ne lisent que dans des manuels scolaires et des textes reproduits sur des feuilles, il m'apparaît qu'il est moins probable qu'ils développent la motivation intrinsèque à lire des livres et que la passion de lire fleurisse chez certains[28]. Les textes

---

26. Ce livre porte sur le programme DIR en lecture, mais le même rationnel s'applique au DIR en écriture.
27. « Se faire lire des textes » peut être un précurseur de la motivation intrinsèque de l'acte de lire, mais ce n'est pas automatique. J'ai connu plusieurs enfants qui n'aimaient pas lire mais qui adoraient se faire lire des histoires.
28. La passion, par définition, n'est pas répartie également dans la population. On peut sans doute faire de la très grande majorité des enfants des lecteurs fonctionnels qui apprécient minimalement la lecture, qui peuvent

présentés aux élèves en difficulté sont souvent courts, simplistes et insipides. Cette absence de profondeur est habituellement justifée par le manque de vocabulaire, par l'oralisation chaotique et peu expressive des enfants en difficulté. Si cette lacune peut légitimer l'utilisation de textes simples pour développer l'oralisation, ce type de textes est fort inapproprié pour favoriser le développement de la compréhension et de l'intérêt pour la lecture[29]. Dans le cadre d'une intervention orthopédagogique, un minimum de deux à quatre romans et au moins un ouvrage informatif devraient être étudiés collectivement. En choisissant cette avenue, on maximise la possibilité d'offrir un contenu intéressant aux enfants tout en misant sur le développement de leur intérêt envers la lecture (motivation intrinsèque).

Qu'est-ce qu'un contenu intéressant pour les enfants ? J'ai une procédure très simple et assez efficace pour identifier les romans intéressants pour les enfants. 1) Ne vous fiez ni au titre, ni à la

---

lire pour répondre à leurs besoins d'apprendre et de se divertir ainsi que pour poursuivre leurs études. De ces enfants, un faible pourcentage d'entre eux deviendront des passionnés de la lecture, lisant un roman ou plus par semaine, ayant toujours quelque chose à lire sous la main.

29. Dans le cadre du programme DIR, le niveau de difficulté d'un texte varie en fonction de l'objectif poursuivi au cours de l'activité. Si l'objectif de l'activité est de développer la compréhension et le raisonnement, le niveau de difficulté du texte sera nettement plus élevé que si l'objectif est de développer l'habileté à oraliser avec précision. Ce principe dérive du fait que les élèves en difficulté (et la majorité des élèves) sont aptes à comprendre des textes plus complexes que ce qu'ils sont capables d'oraliser (de lire). Donc, si on veut nourrir leur compréhension et développer leur capacité de raisonnement, on doit leur offrir des textes plus complexes tout en leur fournissant le support nécessaire quant au vocabulaire et à l'oralisation du texte (voir l'activité à la section *Lecture raisonnée*, annexe H, p. 93). Autrement dit, nous avons besoin de textes qui sollicitent leur intelligence pour développer leur compréhension et leur raisonnement (fictions et ouvrages informatifs) et des textes plus simples pour développer leur habileté à oraliser. Ces deux aspects de la lecture ne sont absolument pas au même niveau en débutant cet apprentissage, et cet écart demeure pendant au moins les trois ou quatre premières années d'apprentissage scolaire.

couverture, ni au résumé au dos du livre. 2) Commencez la lecture et si après une dizaine de pages vous sommeillez, choisissez-en un autre. Même si le livre est écrit pour les enfants, la lecture de l'œuvre devrait titiller votre esprit et vous inciter à poursuivre sa lecture. Je constate, après une vingtaine d'années de lecture de la littérature jeunesse, que les très bons romans et, encore plus, les œuvres exceptionnelles sont aussi rares que dans la littérature pour adultes. Lorsque vous faites votre sélection de romans, n'oubliez pas que les enfants sont des humains et qu'à ce titre, ils sont particulièrement intéressés par des histoires qui portent sur les grands thèmes de la réalité humaine, même en 1re année : le dépassement de soi, surmonter les obstacles, la différence, l'abandon et le rejet, l'exploration de nouveaux mondes, la survie, les sentiments non partagés… Et bien sûr, les situations cocasses et humoristiques légèrement délinquantes sont aussi toujours très appréciées par tous les enfants. Du côté des ouvrages informatifs, il faut s'assurer que les enfants vont y apprendre réellement quelque chose. Lire que le chien jappe et que la vache donne du lait et fait de gros « Meuh-Meuh » ne relève pas de cette catégorie. Si vous réussissez à choisir des livres intéressants pour vos activités de compréhension et de raisonnement, vous augmentez les chances que les enfants développent éventuellement une motivation intrinsèque à lire, dans la mesure, bien sûr, où ils apprennent à lire (pour consulter la grille présentant les éléments proposés dans le programme DIR pour susciter l'intérêt envers la littérature, voir l'annexe E, p. 88).

Motivation extrinsèque (n° 2 – pour faire plaisir à quelqu'un ou pour ne pas lui déplaire)

Les enfants font régulièrement des choses pour faire plaisir à leurs parents ou à d'autres personnes importantes à leurs yeux. Le sens commun nous dit que la relation entre l'enseignant et ses élèves est importante. La méta-analyse de Marzano et Marzano (2003) indique que le personnel enseignant qui a une très bonne relation avec ses élèves a 31 % moins de problèmes de gestion de classe que le personnel enseignant qui n'a pas cette bonne relation. Donc, d'un point de vue de la gestion de classe, avoir une bonne relation avec ses élèves est un atout. À cela, il faut ajouter que certains élèves feront sans doute l'effort d'apprentissage demandé à certains moments parce qu'ils apprécient leur enseignant. Dans le contexte de l'intervention orthopédagogique, où l'élève doit rattraper au moins une partie de son retard scolaire, ce qui représente un important défi, on ne peut absolument pas se passer de cette source de motivation.

Comment peut-on s'y prendre pour générer cette complicité entre l'orthopédagogue et les élèves ? Il y a plusieurs éléments[30], mais je vous en présente un : l'humour. L'humour est un puissant créateur de complicité entre les gens, petits et grands. Au cours des années, j'ai constaté que les garçons sont particulièrement sensibles à la présence de l'humour dans la salle de classe. Dans le cadre d'une séance orthopédagogique intensive de 120 minutes, je recommande fortement de faire sourire ou rire les enfants à au moins cinq reprises au cours de la séance, par les propos ou les agissements de l'orthopédagogue.

Qu'est-ce que l'humour ? Ce n'est pas loin d'être à peu près n'importe quoi : avoir une mimique ou faire une grimace, faire une imitation exagérée d'un personnage d'un texte en lisant, faire de l'autodérision, raconter une histoire drôle, s'inventer un personnage loufoque… Certains enseignants sont réticents à utiliser le rire par peur du ridicule et de perdre le contrôle de leur groupe. En fait, lorsque l'humour est présent dans une

---

30. Voir l'annexe F (p. 89) qui présente les « Éléments de base de l'enrichissement de la relation » tiré des *Grilles de l'enseignement explicite du raisonnement et de la compréhension en lecture - Programmes EERCL, DAL et DIR* (Boyer, 2009).

salle de classe où les exigences sont clairement établies et où on utilise un système d'économie béhavioral efficace, l'humour devient un atout important pour la qualité de l'intervention et un bon « adhésif social ».

L'emploi de l'humour crée un sentiment de proximité qui peut possiblement se traduire par une meilleure relation entre l'orthopédagogue et ses élèves. D'ailleurs, l'humour semble entraîner une diminution du stress, ce qui peut être particulièrement bénéfique dans des situations d'apprentissage exigeantes. Le développement d'une complicité entre l'orthopédagogue et ses élèves, dans le cadre d'une intervention orthopédagogique, est un facteur vital de bien-être et de motivation pour les élèves. Et dans des moment difficiles, certains enfants feront l'effort supplémentaire demandé, au nom de la relation qu'ils ont avec leur enseignant. Cela dit, même si les enfants peuvent être dynamisés par cette relation, la très grande majorité d'entre eux ont besoin d'une autre source de motivation qui vient appuyer le déploiement d'efforts importants. Le système béhavioral d'économie a cette fonction.

Motivation extrinsèque
(n° 3 – pour obtenir une monnaie d'échange)

En 1973, Lepper, Green et Nisbett publient une recherche affirmant que le renforcement extrinsèque détruit l'intérêt envers le comportement renforcé. Douze ans plus tard, Deci et Ryan (1985) abondent dans le même sens en affirmant que le renforcement et les récompenses diminuent la motivation intrinsèque. Très rapidement, à la suite de ces écrits, certains psychologues et professionnels de l'éducation déconseillent au personnel enseignant d'utiliser un système béhavioral d'économie ou des récompenses dans leur salle de classe (Archambault, 1997). Les travaux et les écrits de Cameron et Pierce (1994, 1996, 2001 ; Pierce et Cameron, 2002 ; Cameron *et al.*, 2005) ont, depuis, contredit solidement les assertions de Lepper, Green et Nisbett (1973) ainsi que de Deci et Ryan (1985). Des recherches aboutissent même à la conclusion que dans certaines circonstances, le renforcement extrinsèque et les systèmes béhavioraux d'économie augmentent la motivation intrinsèque (Cameron *et al.*, 2005; Leblanc, 2004; Reder, Stephan et Clément, 2007).

Afin de maximiser l'efficacité du système béhavioral d'économie, plusieurs principes doivent être respectés, dont celui de renforcer essentiellement l'émergence et la solidification de comportements émergents ou nouveaux. Il est important que les critères sous-jacents au renforcement d'un comportement soient explicites et clairs tout en requérant un niveau élevé d'exigences quant au comportement à manifester (Cameron et Pierce, 1994, 2001). Dans le cadre scolaire, et encore plus en orthopédagogie, il est primordial de ne pas seulement renforcer la « bonne réponse ». Le renforcement de l'implication dans la tâche des élèves est capital pour le maintien d'une implication intense de leur part. En d'autres mots, l'enfant qui essaie, qui utilise les moyens de dépannage enseignés, qui tente de répondre correctement, même en faisant fausse route, doit être renforcé. De même, un enfant se verra renforcé s'il utilise les moyens de dépannage enseignés *sans avoir été incité à le faire par l'enseignant*, même si la réponse est fautive. La gradation des exigences doit varier en fonction des apprentissages des élèves. Un système béhavioral d'économie en milieu scolaire doit être conçu de façon telle qu'un enfant très faible, mais volontairement actif et impliqué dans les tâches, puisse obtenir plus de renforcements qu'un autre enfant plus habile que lui, mais dont l'implication est moindre.

En orthopédagogie, je recommande fortement l'utilisation d'un type de système béhavioral d'économie basé sur l'accès à un « magasin général » (pour l'achat de babioles) et à des activités-récompenses. Concrètement, les élèves ont sur leur pupitre des feuilles agrafées sur lesquelles sont reproduites des grilles comprenant 100 cases (10 cases × 10 cases). Chaque case correspond à un point. L'orthopédagogue octroie, à l'aide d'un tampon de bingo, des points en fonction du rendement et du niveau d'implication des élèves dans la tâche. Une fois par semaine, au milieu de la semaine, les enfants font du lèche-vitrine au magasin général afin de faire des projets d'achats. À la fin de la semaine, en dehors du temps d'intervention, les élèves peuvent échanger leurs jetons en faisant leurs achats au magasin général.

L'octroi des points par l'orthopédagogue n'est pas constant ni régulier, mais il doit être fréquent. La quantité accordée n'est pas stable et dépend de la problématique de l'enfant et de la dynamique du groupe. Par contre, les raisons pour lesquelles les enfants reçoivent des points doivent toujours être explicites. Les enfants peuvent, comme dans la vie, gagner et perdre des points. La perte de points est une conséquence explicite aux comportements inappropriés à l'apprentissage.

La gestion du magasin général est plus complexe qu'on pourrait le croire. Tout d'abord, le magasin général doit avoir une apparence d'abondance et de diversité. Il est indispensable d'avoir autant d'exemplaires d'un produit qu'il y a d'enfants. Le magasin doit avoir des produits bon marché (ex. : des feuilles de papier de couleur à l'unité, des craies de tableau, des trombones de couleur à l'unité, des autocollants à l'unité...) ainsi que des produits plus coûteux (ex. : des petites autos, des échantillons de parfum, des revues usagées pour enfants, des clémentines, des raisins secs, des tatouages temporaires...). Les prix varient d'une semaine à l'autre, en fonction de l'état du groupe. Lorsque le groupe est dynamique, les prix augmentent, et lorsque l'atmosphère dans le groupe est plus terne, les prix baissent. Il est crucial de ne pas demander aux élèves ce qu'ils voudraient retrouver dans le magasin. S'ils souhaitent des choses que vous ne pouvez pas leur offrir, l'expérience du magasin peut devenir rébarbative pour certains, chaque visite leur rappelant qu'ils n'auront pas ce qu'ils auraient voulu. Les objets achetés au magasin général en orthopédagogie doivent être disposés dans un sac fermé et opaque, avant le retour en classe ordinaire, afin d'éviter d'attiser la convoitise des autres élèves. Le sac ne peut être ouvert qu'une fois l'enfant rentré chez lui, sous peine que ses achats soient confisqués.

En terminant cette section, je veux insister sur le fait qu'en orthopédagogie, nous demandons à des enfants en difficulté de faire des efforts qui dépassent largement ce qu'ils fournissent habituellement, dans un domaine possiblement devenu aversif qui leur procure sans doute un état d'âme tout sauf transcendantal… La réalité, c'est que les élèves en difficulté doivent faire des efforts supérieurs que ceux qui ne sont pas en difficulté s'ils veulent avoir une chance de rattraper une partie de leur retard. Si nous souhaitons que les élèves fassent des efforts *extraordinaires*, nous devons être conséquents et leur fournir des raisons *extraordinaires* d'agir en ce sens.

> Le programme DIR favorise un tempo rapide et cadencé dans l'enseignement et les activités afin de maintenir un haut niveau d'attention à la tâche. De plus, le programme DIR exploite systématiquement les trois sources possibles de la motivation humaine afin de maximiser l'implication dans la tâche des élèves en difficulté d'apprentissage.

Assez rapidement dans les premières versions du programme DIR, l'exploitation des trois sources de motivation s'est imposée comme un élément clé indiscutable du niveau recherché de succès.

Réussir à obtenir l'attention et l'implication optimales des élèves est incontournable lors d'une intervention orthopédagogique. Par contre, cette mobilisation peut ne pas donner de résultats tangibles si elle n'est pas dirigée clairement vers les contenus pertinents d'apprentissage et encadrée par les moyens efficaces pour les réaliser. Pour ce faire, je recours aux recherches sur l'apprentissage de la lecture ainsi que sur l'Enseignement explicite (Boyer, 1993).

Contenu des apprentissages en lecture

Le courant du Langage intégré, qui a été très prégnant ces dernières années en Amérique du Nord, condamnait sans appel l'apprentissage systématique des lettres de l'alphabet et du décodage (Smith, 1971 ; Goodman, 1986). D'ailleurs, jusqu'à tout récemment, il était mal vu dans plusieurs écoles au Québec d'enseigner le décodage. Plus précisément, le décodage, désigné par les termes de « entrée grapho-phonétique », devait être considéré comme une entrée comme les autres parmi les cinq entrées reconnues (entrée idéographique – la globalisation –, entrée syntaxique, entrée lexicale, entrée morphologique et entrée grapho-phonétique – le décodage). Pour certains, le décodage et les lettres devaient occuper une place restreinte dans l'enseignement de la lecture, tandis que pour d'autres, dont certains conseillers pédagogiques, ces activités devaient tout bonnement être proscrites parce que jugées illicites. Ces aberrations ont été soutenues par une horde d'experts et par le ministère de l'Éducation du Québec, en dépit des données de la recherche scientifique en lecture qui, depuis Chall (1967), en passant par Adam (1990) et le National Reading Panel (2000), indiquaient explicitement que l'apprentissage des lettres et du décodage étaient et sont toujours la pierre angulaire inévitable de l'apprentissage initial de la lecture.

En ce qui a trait aux lettres, c'est le bruit des lettres qui doit être acquis prioritairement puisque l'oralisation s'effectue à partir du bruit des lettres. Le nom des lettres est un apprentissage secondaire. Assez rapidement, les boîtes de sons de base (composées de lettres qui produisent un son — ex. : en français : « in », « oi », « ch » ; in english : « oo », « ay », « sh » ; en español : « ll », « ch », « qu ») doivent également être introduites et acquises. Le décodage doit commencer dès que les enfants connaissent au moins le bruit de deux lettres. Dans le cadre de mes programmes en lecture, contrairement à la tendance des approches syllabiques et d'Enseignement direct qui tentent de couvrir toutes les boîtes de sons possibles de la langue à l'étude (Carnine et Silbert, 1997), seules les *boîtes de sons* les plus fréquentes sont travaillées systématiquement (en français, 16 boîtes de sons sur un potentiel de plus de 33). L'acquisition des autres boîtes de sons moins fréquentes se fait sans enseignement, simplement par l'apprentissage des sons les plus usuels et de la règle d'or : l'oralisation est toujours une approximation du mot à l'oral, donc il faut se corriger. En pratique, cela signifie que lorsque l'enfant lit la phrase « Je lave les mains du bébé », puisque la boîte de son « ain » n'est pas une boîte de son retenue dans mes programmes, il lira « ma/ in », mais comme on l'incite à corriger son approximation avec le sens *après* avoir décodé (et non l'inverse), la très grande majorité des enfants se corrigeront rapidement en disant « mains », certains enfants avec l'enthousiasme débordant de l'eurêka jaillissant.

Si apprendre à lire c'est, entre autres, apprendre à reconnaître les lettres et leur bruit tout en étant capable de les combiner pour produire une approximation du mot à l'oral qu'on doit parfois corriger, sans l'automatisation du décodage, la lecture reste inaccomplie et le lecteur très inefficace. C'est Laberge et Samuels (1974 ; Samuels, 1979) qui mettent en lumière l'importance de la fluidité en lecture. Leurs travaux débouchent sur une activité qu'ils nomment la « Lecture répétée » (*Repeated Reading*) qui consiste à relire un texte plusieurs fois de manière à obtenir une lecture fluide, sans erreur ou presque. Les effets observés vont de l'augmentation de l'exactitude et du débit-exact à une amélioration de la compréhension (Chard, Vaughn et Tyler, 2002 ; Moyer, 1982 ; Samuels, 1979 ; Samuels et Reinking, 1992 ; Rasinski, Homan et Biggs, 2009 ; Therrien, 2004 ; Young 1996). De l'ensemble de ces travaux on peut conclure que la fluidité est composée de quatre éléments : l'exactitude, la vitesse, le respect de la ponctuation et la prosodie. La prosodie devrait, en principe, inclure le respect de la ponctuation, mais les enfants commencent par apprendre, dans le développement de l'oralisation, à respecter la ponctuation avant de pouvoir développer la prosodie. La prosodie correspond au chant d'une oralisation accomplie de la lecture orale. Un bon lecteur de nouvelles, à la télévision ou à la radio, va mettre l'accent sur certains mots et sur certains passages qui ne correspondent à aucune ponctuation visible dans le texte. Cela contribue à rendre la lecture intéressante et plus compréhensible pour les auditeurs. En ce qui a trait à la lecture orale, en plus de l'exactitude et d'une certaine vitesse, l'objectif est d'atteindre un niveau de lecture emphatique (prosodique) où l'enfant colore littéralement sa lecture par le ton de sa voix en mettant volontairement certains mots et certains passages en valeur, selon ce sur quoi il veut mettre l'accent.

Une intervention orthopédagogique doit inclure, si l'enfant ne sait pas lire, l'apprentissage systématique du bruit des lettres, des boîtes de sons et du décodage. Dès que son niveau de lecture le permet, on doit commencer à favoriser le développement de la fluidité en intégrant graduellement, et dans l'ordre, les critères d'exactitude, de vitesse et de respect de la ponctuation[31]. Ce n'est qu'ensuite, lorsque le débit-exact est suffisant,

---

31. Un enfant qui lit à toute vitesse ou comme un robot, sans respecter la ponctuation, ne sait pas lire. Lorsque la situation se présente, l'orthopédagogue doit intervenir prestement afin de corriger cette mauvaise compréhension de l'acte de lire qui peut causer de graves dommages à l'habileté à comprendre et à raisonner.

que l'enfant peut et doit développer sa capacité à faire une lecture emphatique.

Lire, ce n'est pas décoder, mais il demeure que l'habileté à décoder et son automatisation (la fluidité) sont indispensables au développement de l'habileté à lire (Boyer, 2000; Chard, Vaughn et Tyler, 2002; Laberge et Samuels, 1974; Moyer, 1982; Samuels, 1979; Samuels et Reinking, 1992; Therrien, 2004). La plupart des élèves en difficulté d'apprentissage en lecture présentent une non-maîtrise du décodage ainsi qu'une faiblesse à oraliser avec fluidité (Adams, 1990; Adams et Bruck 1995; Boyer, 2000; Duke, Pressley et Hilden, 2004; Meyer *et al.*, 1998; Torgesen, 1998; Young 1996). Toute intervention orthopédagogique devrait comporter des activités visant le développement de l'automatisation du décodage, et cela à tous les degrés scolaires.

Lire, ce n'est pas décoder, lire ce n'est pas «faire du sens» (*sic*). Mais dans ce cas, qu'est-ce que lire? Lire, c'est raisonner[32]. Je m'explique. En lisant ce texte, je présume que vous avez réagi et raisonné. Si vous ne l'avez pas fait, votre lecture a été, au pire, un acte inutile, extrêmement ennuyeux, et au mieux, un exercice labial. Si vous avez réellement lu ce texte jusqu'à maintenant, vous avez formulé des jugements, vous avez élaboré, en créant des liens entre ce que vous lisiez et ce que vous avez déjà lu ou entre ce que vous lisiez et certaines de vos connaissances, vous avez possiblement eu des bris de compréhension que vous avez sans doute résolus, bref, vous réagissiez et raisonniez en lisant. Lire, c'est raisonner. Si vous ne raisonnez pas en lisant, vous ne comprendrez et ne retiendrez rien. Lire sans raisonner est un non-sens[33].

---

32. Voir l'annexe G (p. 91) pour une définition fonctionnelle de la lecture.
33. De la même manière, je pense qu'écrire c'est raisonner et que mathématiser, c'est également raisonner.

La compréhension est un contenu crucial dans une intervention orthopédagogique. Conséquemment, des activités sollicitant et développant la compréhension doivent être planifiées dès le début de l'intervention orthopédagogique, même si les enfants ne savent pas lire. Cette compréhension ne doit pas se limiter à la rétention des informations textuelles, puisque lire c'est aller au-delà du texte, puisque lire c'est réagir, puisque lire c'est raisonner. Même un jeune enfant qui ne sait pas lire peut raisonner en écoutant la lecture d'un texte[34] si le texte est suffisamment stimulant et intéressant[35]. La compréhension et le raisonnement doivent être directement vitalisés par des activités pertinentes, cela dans toute intervention orthopédagogique, peu importe le débit des élèves, qu'ils sachent ou non lire. Un orthopédagogue qui évacue la compréhension et le raisonnement de son intervention en lecture évacue l'essence même de la lecture de son intervention.

Les habiletés de compréhension et de raisonnement que je retiens sont la compréhension littérale, la rétention, la compréhension inférentielle et l'autoraisonnement. La compréhension

---

34. Le développement de la compréhension et du raisonnement par rapport au développement de la mécanique de la lecture (le décodage, l'exactitude et le débit) est asymétrique. Les enfants comprennent des textes nettement plus complexes que ceux qu'ils peuvent oraliser. Conséquemment, il m'apparaît évident que le développement de la compréhension et du raisonnement ne découle pas de la maîtrise de la mécanique. La maîtrise de la mécanique facilite le développement de la compréhension et du raisonnement *en lisant*, mais il n'en est pas la source. En d'autres mots, il ne faut pas attendre que la mécanique de la lecture soit maîtrisée avant d'aborder la compréhension et le raisonnement puisque les enfants, même très jeunes, même en difficulté, comprennent et raisonnent déjà autour de textes plus complexes (qu'on leur lit) que ce qu'ils peuvent lire.

35. Comme je l'ai déjà mentionné, il est extrêmement important de distinguer les textes pour développer la mécanique de la lecture (connaissances des lettres, décodage et fluidité) de ceux pour développer la compréhension et le raisonnement, particulièrement dans les premières années de l'apprentissage de la lecture.

littérale est l'habileté à comprendre les informations textuelles transmises par le texte. La rétention est l'habileté, à la suite de la lecture d'un texte, à retenir pendant un certain temps des informations textuelles pertinentes parce qu'elles sont, aux yeux du lecteur, jugées importantes et/ou significatives et/ou nouvelles et/ou simplement intéressantes. Le lecteur accompli retient également les ou certaines des informations qu'il a inférées. La compréhension inférentielle est l'habileté à déduire des informations probables ou certaines à partir d'informations textuelles du texte ou d'autres informations inférées du texte. La compréhension inférentielle crée des informations supplémentaires au texte. L'autoraisonnement est l'habileté à assimiler les informations textuelles du texte, à produire des informations inférentielles découlant du texte et à retenir certaines de ces informations, sans que ces activités cognitives soient suscitées par un questionnement de l'enseignant. Autrement dit, ces activités cognitives doivent être autogénérées par l'enfant durant sa lecture pour qu'on puisse parler d'autoraisonnement.

Le vocabulaire, défini comme étant la connaissance de mots et de leur signification, est un autre aspect qui doit être enrichi lors d'une intervention orthopédagogique (Coyne *et al.*, 2004; Gauthier, 1991; Manzo, Manzo et Thomas, 2006). Si le bagage de vocabulaire de l'enfant est trop restreint, le nombre de bris de compréhension[36] qu'il va rencontrer en lisant va limiter énormément sa compréhension littérale. Sans la compréhension littérale, la compréhension inférentielle est évidemment impossible.

En résumé, le contenu d'une intervention orthopédagogique comprend l'apprentissage du bruit des lettres (si l'enfant

---

36. Il faut distinguer le «bris de compréhension» du «bris de décodage» (voir annexe A, p. 77). Ces deux types de bris de lecture n'émergent pas de la même source et nécessitent des moyens différents pour être «réparés». La pire situation pour un lecteur, c'est évidemment lorsque celui-ci a simultanément un bris de décodage et un bris de compréhension sur le même mot.

ne les connaît pas), du décodage et de son automatisation (l'exactitude, la vitesse, le respect de la ponctuation et la prosodie), le développpement de la compréhension littérale et inférentielle, de la rétention des informations lues, du vocabulaire ainsi que de l'autoraisonnement. La question qui s'impose à présent est : de quelle manière devons-nous enseigner ce contenu ?

Enseignement explicite de la lecture

L'Enseignement explicite de la lecture consiste à rendre visible aux élèves les actes cognitifs qu'ils doivent produire pour réaliser une tâche ou exercer une habileté (Boyer, 1993). L'Enseignement direct (Direct Instruction) et l'Enseignement explicite ont des liens de parenté. L'Enseignement direct est une méthode qui met l'accent sur un programme systématique gradué d'apprentissage encadré par des scripts précis de leçons (Carnine, Silbert et Kameenui, 1997). Le terme « enseignement explicite » a été plutôt utilisé dans le domaine de la recherche sur les habiletés en compréhension en lecture pour désigner un enseignement rendant visible aux élèves ce qu'ils devaient faire pour trouver, par exemple, l'idée principale d'un paragraphe, mais sans nécessairement aboutir à un script détaillé comme dans l'Enseignement direct.

L'Enseignement explicite et l'Enseignement direct sont, pour l'instant, les principaux modèles pédagogiques généraux qui offrent le plus de chance de favoriser l'apprentissage de l'ensemble des élèves, incluant les élèves en difficulté. Les métaanalyses du National Reading Panel (2000), celle de Borman *et al.* (2003), celle de Norris et Ortega (2000) concernant l'apprentissage dans le contexte d'une deuxième langue et celle de Swanson (1998, 1999, 2001) spécifiques aux élèves en difficulté d'apprentissage sont unanimes : l'application de l'Enseignement explicite et l'Enseignement direct entraînent un plus grand gain d'apprentissage que les pédagogies inductives et les pédagogies moins structurées[37]. Dans une autre perspective, Sweller (à paraître) présente un argumentaire basé sur les connaissances actuelles de la structure cognitive humaine qui explique pourquoi les approches socio-constructivistes sont vouées à l'échec et pourquoi, en corollaire, l'Enseignement explicite et l'Enseignement direct sont plus efficaces. Depuis plus de 40 ans, l'accumulation des résultats et des conclusions de la recherche scientifique milite clairement en faveur de l'Enseignement explicite et de l'Enseignement direct (Baker, Gersten et Lee, 2002 ; Borman *et al.*, 2003 ; Gersten et Baker, 2001 ; Kroesbergen et Van Luit, 2003 ; Kunsch, Jitendra et Sood, 2007 ; National Reading Panel, 2000 ; Norris et Ortega, 2000 ; Swanson, 1998, 1999, 2001).

Si en pédagogie il peut apparaître discutable de ne pas choisir prioritairement les approches et les contenus appuyés par des données expérimentales, que penser de l'orthopédagogie ? L'orthopédagogie est l'équivalent du service des urgences d'un hôpital. Ce service dessert les élèves les plus en besoin et les plus fragiles. Dans ce contexte, il est doublement impardonnable de ne pas sélectionner les approches et les contenus gagnants et de ne pas tenter de les mettre en pratique.

Le contenu du programme DIR en lecture inclut l'apprentissage du bruit des lettres, du décodage et de son automatisation (l'exactitude, la vitesse, le respect de la ponctuation et la prosodie), le développement de la compréhension littérale et inférentielle, de la rétention des informations,

---

37. Dans le domaine de l'habileté à écrire, lire la méta-analyse de Gersten et Baker (2001) et dans le domaine de la mathématique, lire les méta-analyses de Baker, Gersten et Lee (2002), de Kroesbergen et Van Luit (2003) ainsi que de Kunsch, Jitendra et Sood (2007).

l'enrichissement du vocabulaire ainsi que le développement de l'autoraisonnement.

Le programme DIR en lecture intègre des activités de compréhension et de raisonnement en lecture, dès le début de l'intervention orthopédagogique, et cela même avec des non-lecteurs.

Le programme DIR base son enseignement et son organisation sur les modèles d'Enseignement direct et d'Enseignement explicite.

Dès 1990, le programme DIR repose sur l'Enseignement explicite et sur le contenu d'apprentissage sans équivoque décrit précédemment. Au cours des années, la gamme d'activités en lecture du programme DIR s'est élargie. Certaines procédures de certaines activités ont été modifiées en fonction des résultats de la recherche scientifique ou de constats empiriques, tandis que d'autres activités et procédures ont été créées pour répondre à des besoins spécifiques[38].

Une des caractéristiques importantes du programme DIR est sa procédure d'évaluation et de sélection des élèves. La prochaine section traite de cet aspect.

Procédure d'évaluation et de sélection des élèves les plus faibles

La procédure d'évaluation et de sélection des élèves les plus faibles d'une cohorte donnée peut être employée avec n'importe quel type de programmes ou de pratiques orthopédago-

---

38. Afin que vous ayez un aperçu des activités, je vous en présente succinctement deux : la *Lecture raisonnée* (annexe H, p. 93) et la *Surlecture* (annexe I, p. 98). Pour votre information, 83 activités sont en usage (voir annexe J, p. 101) dans les programmes DIR, EERCL, DAL et JSC (Boyer, à paraître).

giques. Évidemment, cette procédure correspond à la pratique retenue dans le cadre du programme DIR.

Parent (2008) et Saint-Laurent *et al.* (1996) observent, comme je l'ai déjà mentionné, que certains élèves faibles ne sont pas suivis en orthopédagogie tandis que d'autres qui ne sont pas faibles le sont. J'ai constaté le même phénomène à moult reprises aussi bien au Québec qu'en Ontario. Comment peut-on comprendre ce phénomène? Il y a, à mon avis, plusieurs explications. Certains enfants faibles ne sont pas suivis en orthopédagogie simplement parce qu'ils ne dérangent pas en classe ordinaire (souvent des filles…), on ne les entend pas, on les oublie. D'autres enfants faibles ne reçoivent pas de service orthopédagogique parce qu'un « expert » clairvoyant a décrété que l'enfant ne peut pas apprendre par manque de motivation, parce qu'il est limité dans son potentiel, parce qu'il manque de soutien et d'encadrement à la maison, parce qu'il souffre d'absentéisme ou parce que la langue de l'enseignement à l'école n'est pas celle parlée à la maison. Parallèlement à cette réalité, des enfants qui ne sont pas faibles sont parfois suivis en orthopédagogie parce qu'ils dérangent trop en classe (souvent des garçons…), parce que les parents sont revendicateurs et bruyants, parce que l'orthopédagogue les aime bien et, parfois, simplement parce qu'on a commencé à travailler avec eux quelques années auparavant, alors pourquoi ne pas continuer? D'un autre côté, Reading Recovery élimine des élèves qui s'absentent trop souvent ou qui ne progressent pas (Shanahan et Barr, 1995 ; Elbaum *et al.*, 2000). Ces manières de faire minent profondément la crédibilité des écoles et de leur service orthopédagogique, sans parler des problèmes d'éthique qu'elles soulèvent.

Le service orthopédagogique d'une école a besoin d'une procédure objective et impartiale pour effectuer la sélection des élèves qui seront suivis. De plus, les orthopédagogues ont besoin d'une procédure pour vérifier dans quelle mesure ils ont réussi à réduire l'écart entre les élèves suivis et les autres élèves qui ne sont pas suivis. La procédure décrite ci-dessous, relativement simple, permet de satisfaire ces deux besoins.

Préalablement à la mise en place du programme DIR en lecture, tous les élèves du degré visé (élèves en difficulté et les autres élèves) sont évalués à l'aide d'instruments de mesure prédéterminés. Deux mesures sont utilisées : 1) la lecture orale d'un texte pour mesurer le débit-exact et l'exactitude[39] ; 2) la compréhension et le raisonnement[40], après la lecture silencieuse d'un texte (différent de celui utilisé pour évaluer la lecture orale).

Les résultats obtenus à ces tests ainsi que les résultats aux évaluations pédagogiques antérieures sont utilisés pour sélectionner les élèves les plus faibles de la cohorte. S'il y a contradiction entre les évaluations antérieures et les nouvelles évaluations, une autre évaluation en individuel a lieu afin d'éclaircir la contradiction observée.

L'orthopédagogie doit dispenser un service qui s'adresse aux éléments les plus faibles d'une cohorte d'élèves, indépendamment de leur niveau de motivation, de leur difficulté d'apprentissage, de leur maturité, de leur potentiel estimé, de leur dyslexie avérée ou de leurs troubles de comportement avec ou sans hyperactivité et avec ou sans déficit d'attention... Ce préjugé favorable envers les plus faibles s'appuie en partie sur le fait que nos connaissances actuelles en pédagogie et en orthopédagogie ne nous permettent pas de savoir avec certitude *a priori* si l'intervention aura ou non un effet sur tel ou tel enfant[41]. Dès les premières versions du programme DIR, nous

---

39. Voir l'annexe K (p. 102) pour le protocole de passation du test de la lecture orale.
40. Voir l'annexe L (p. 104) pour quelques indications concernant l'évaluation de la compréhension et du raisonnement ainsi que l'annexe N (p. 110) pour des extraits de tests d'évaluation en usage dans le cadre du programme DIR.
41. Dans le cadre du programme DIR, seuls peuvent être exclus de l'intervention *a priori* les enfants ayant une déficience intellectuelle importante

avons observé que des enfants ayant été identifiés antérieure-
ment par des « experts » comme étant peu enclins à bénéficier
d'une intervention orthopédagogique pouvaient progresser
d'une manière significative et parfois même d'une manière
spectaculaire.

La sélection des élèves doit être faite en impliquant les
intervenants du milieu (les titulaires et la direction de l'école),
mais elle ne doit pas donner lieu à des tractations étrangères
aux besoins d'apprentissage des enfants. Dans bien des écoles,
chaque titulaire de classe ordinaire a un quota d'élèves qu'il
peut envoyer en orthopédagogie. C'est un mode de sélection
des élèves en difficulté assez commun au Québec. Par exemple,
dans une grande école, chaque titulaire de 2e année peut
envoyer deux enfants en orthopédagogie, choisis selon ses
propres critères. Dans certains cas, on va tolérer qu'un titulaire
envoie un enfant de plus que les autres, mais en règle générale
on respecte le quota déterminé, « comme ça tout le monde est
égal »… Cette façon de sélectionner les élèves reflète une
orthopédagogie aux services des titulaires plutôt qu'au service
des enfants en difficulté d'apprentissage. Même si chaque titulaire appuie sa décision sur des données relativement objectives
pour effectuer son choix, la sélection finale au niveau de la
cohorte de l'école est biaisée parce que, entre autres, les classes
ne sont presque jamais égales en termes de rendement, en dépit
de la volonté de constituer des groupes équivalents à la fin de
l'année scolaire précédente. Sur l'ensemble d'une cohorte

---

dont l'origine n'est pas sociale et les enfants ayant des troubles mentaux graves
non contrôlés. Cela dit, des enfants autistes, des enfants ayant des troubles
importants de comportement et des enfants ayant le syndrome de la Tourette,
des enfants étiquetés « intelligence lente » ou déficience légère ont participé,
avec succès, à des groupes intensifs DIR. Quelques enfants trisomiques ont
été intégrés dans des classes où le programme DAL (Développement accéléré
de la lecture) en 1re année était appliqué, et la majorité de ces enfants ont
appris minimalement leurs lettres et plusieurs ont appris à décoder.

d'élèves de 2e année, les 10 élèves les plus faibles peuvent se répartir de la manière la moins « égale » qui soit entre les trois titulaires de 2e année d'une école, par exemple, six élèves dans la classe A, trois élèves dans la classe B, un élève dans la classe C. L'idée, ce n'est pas d'être égal avec les titulaires, mais d'être au service des élèves faibles. Le service orthopédagogique d'une école doit sélectionner les élèves les plus en difficulté d'une cohorte donnée, de la manière la plus objective et impartiale possible.

Lorsque les évaluations sont complétées et comptabilisées, une fois que les cas litigieux ont été tirés au clair (incohérence entre le rendement aux tests orthopédagogiques et le rendement antérieur), les élèves les plus faibles de la cohorte doivent être retenus pour être suivis en orthopédagogie. L'organisation générale, en groupe ou en individuel, peut varier, mais il faut avoir à l'esprit que des groupes trop nombreux créent un contexte similaire à la classe ordinaire et que des interventions en individuel limitent le nombre d'enfants qui peuvent recevoir le service orthopédagogique. En ce qui concerne le programme DIR, c'est l'intervention de groupe qui est retenue, à raison de 8 à 12 élèves à la fois, la moyenne se situant autour de 10 élèves.

Étrangement, en dépit du fait que plusieurs auteurs américains (Elbaum *et al.*, 2000) recommandent des groupes de trois à cinq élèves en orthopédagogie (pour un meilleur ratio coût/bénéfice), j'arrive plutôt à la conclusion qu'une intervention intensive avec un nombre aussi réduit d'élèves ressemble à une visite chez un dentiste en pénurie d'anesthésiant… Mon hypothèse pour expliquer cet élément à rebrousse-poil du courant actuel de la pensée pédagogique est que le programme DIR, avec l'application de l'ensemble de ses caractéristiques, génère une atmosphère de dépassement de soi qui fleurit plus aisément dans une dynamique de groupe de 10 élèves qu'un petit groupe de cinq élèves. Conséquemment, dans la réalisation d'un intensif (DIR), je ne recommande pas de constituer un groupe inférieur à huit élèves. Au-delà de 12 élèves, la dilution de la fréquence des interactions entre l'orthopédagogue et ses élèves augmente rapidement. Des interventions DIR ont été réalisées avec des groupes composés 14 et 15 élèves. Je ne recommande plus la constitution de tels groupes parce que les résultats ont été rarement au rendez-vous et lorsqu'ils y étaient, c'était avec des groupes d'élèves plutôt âgés (de 14 à 16 ans) et avec des orthopédagogues qui manifestaient une maîtrise exceptionnelle (et rare) des multiples caractéristiques du programme DIR.

Lorsque la sélection définitive est arrêtée, les parents des élèves choisis sont invités à une rencontre animée par l'ortho-pédagogue. Au cours de cette rencontre, les principales carac-téristiques de l'intervention orthopédagogique doivent être présentées. Cette rencontre doit permettre à l'orthopédagogue d'expliquer clairement ses attentes face à eux. Cependant, ses attentes devraient être très réduites, les parents ne pouvant pas remplacer ou suppléer l'école ou le service orthopédagogique. À la fin de cette rencontre, les parents doivent accepter ou refuser le service en signant un formulaire[42].

À la fin de l'intervention orthopédagogique, toute la cohorte du degré scolaire doit être évaluée à nouveau (élèves du groupe orthopédagogique et les autres élèves). Cela signifie que pour

---

42. Secret de Polichinelle : plus les enfants sont en difficulté et plus les enfants vieillissent, moins les parents viennent volontiers aux rencontres initiées par l'école. La solution : ayez du front tout le tour de la tête ! Déplacez-vous et allez chez eux. Souvent, ces parents sont dépassés par les événements, parfois par la vie elle-même, presque toujours craintifs face aux jugements de l'école et des soi-disant experts, souvent honteux ou se sentant responsables des problèmes de leur enfant. Avoir un enfant en difficulté scolaire est difficile pour toute la famille. Selon mon expérience dans ce domaine, 99 % des parents visités (qui ne s'étaient pas rendus à la rencontre d'information) sont finalement reconnaissants qu'on prenne la peine de se déplacer pour leur enfant et dans 100 % des cas, l'orthopédagogue apprend quelque chose en visitant le milieu de vie de l'enfant qu'il n'aurait pas appris autrement.

les besoins de l'analyse, deux groupes sont constitués: le groupe orthopédagogique ou DIR (composé des élèves en orthopédagogie) et le groupe référence (composé de tous les élèves qui ne sont pas dans le groupe orthopédagogique). Les résultats « avant et après » des deux groupes permettent de mesurer la progression des élèves et la diminution de l'ampleur des écarts entre le groupe orthopédagogique et le groupe référence[43]. Il est important d'attirer l'attention sur le fait que cette comparaison est très exigeante puisqu'on compare des élèves en difficulté à un groupe composé d'élèves moyens et forts. Je considère qu'en dépit du défi qu'impose une telle comparaison, ce mode d'évaluation est le plus fiable pour mesurer objectivement la réduction des écarts entre les élèves faibles et les autres élèves. Quel que soit le modèle orthopédagogique en usage dans une école, cette procédure d'évaluation peut être appliquée systématiquement afin de vérifier l'état des apprentissages de tous les élèves, incluant les élèves en difficulté d'apprentissage. Cette procédure permet également d'évaluer les effets du service orthopédagogique[44].

Finalement, une fois l'intervention orthopédagogique terminée, il est recommandé d'employer des mesures de percep-

---

43. Les moyennes des deux groupes sont indépendantes l'une de l'autre, c'est-à-dire que les résultats des élèves du groupe orthopédagogique ne sont pas comptabilisés dans la moyenne du groupe référence.

44. Et que faire si les résultats ne sont pas mirobolants? Ne vous flagellez pas! Tous les professionnels vivent des échecs ou des réussites mitigées. Un professionnel, c'est quelqu'un qui cherche et qui émet des hypothèses. Quand ses actions professionnelles donnent les effets positifs escomptés, il cherche à savoir pourquoi afin de pouvoir répéter ce succès; quand ses actions professionnelles ne donnent pas les effets escomptés, quand il vit un échec, il cherche à savoir pourquoi afin ne pas reproduire cette situation. Si les résultats ne sont pas au rendez-vous, cherchez ce que vous auriez dû faire, ce que vous n'avez pas compris ou pas vu, en laissant l'autoflagellation au vestiaire. Remettez en question votre pratique, pas votre personne, mais surtout pas les enfants, qui n'y sont toujours pour rien.

tion et de satisfaction des enfants, des parents et des titulaires (voir annexe M, p. 106) qui ajoutent un niveau pertinent d'informations.

> La sélection des élèves participant au programme DIR en lecture s'effectue principalement à partir de deux mesures : le débit oral et la compréhension/raisonnement en lecture. Les enfants retenus doivent être les plus faibles de la cohorte évaluée, de la manière la plus impartiale possible, et ce, peu importe qu'ils soient motivés ou non, que l'encadrement familial soit approprié ou non, qu'ils manifestent ou non des problèmes de comportement, qu'un « expert » ait décrété qu'ils pouvaient apprendre ou non...
>
> Le programme DIR se déroule en groupe de huit à 12 élèves.
>
> Une réévaluation du débit et de la compréhension/raisonnement de toute la cohorte est faite à la fin de l'intervention afin d'évaluer s'il y a une réduction des écarts entre les élèves en orthopédagogie et le groupe référence. Des questionnaires portant sur la perception et la satisfaction des enfants, des parents et des titulaires sont également employés.

Le programme DIR possède d'autres caractéristiques qui ne seront pas discutées dans ce livre. Par exemple, à chaque période de 10 jours, les enfants du groupe DIR (mais pas ceux du groupe référence) sont évalués au niveau du débit-exact afin de suivre leur progression. Avec cette mesure on calcule la pente de l'apprentissage des élèves, inspirée directement de l'enseignement de précision (Giroux, à paraître). Cette pente est un indicateur fiable de l'orientation et de la force de l'apprentissage du groupe, ce qui facilite les ajustements rapides si l'intervention est mal engagée. Il y a aussi une évaluation raisonnement/compréhension à la mi-intervention, qui permet de réajuster le tir sur cet aspect. Un ensemble de procédures de dynamisation qui visent à mobiliser le groupe et à mousser l'excitation des enfants face aux activités est employé tout au long du programme DIR. Cela dit, la lecture de ce livre jusqu'ici devrait déjà vous avoir donné une idée assez précise de ce qu'est le programme DIR ou l'Intervention intensive selon Christian Boyer.

Maintenant, quels résultats le programme DIR obtient-il avec la procédure de sélection et d'évaluation des élèves faibles précédemment décrite? La section suivante vous offre un aperçu.

Quelques résultats du programme DIR

Les présents résultats sont reproduits avec l'autorisation du Conseil scolaire de district catholique de l'Est ontarien[45]. Les mesures d'évaluation (débit oral et raisonnement/compréhension) sont des instruments maison en usage depuis plus de 10 ans. Les tests avant et après l'intervention diffèrent. La passation et la correction des tests sont habituellement effectuées par le personnel de l'école (titulaires ou orthopédagogues), en suivant un protocole très strict. La correction des tests de raisonnement/compréhension donne lieu à des vérifications extérieures ponctuelles afin de s'assurer de l'uniformité de l'application des grilles de correction[46]. Les tests raisonnement/compréhension sont sur 100 et comportent tous 10 questions

---

45. Ce Conseil francophone dessert l'est de l'Ontario, comprenant, entre autres, les villes et villages de Hawkesbury, Casselman, Lancaster, Russell et Embrun. Le niveau d'anglicisation de la clientèle varie selon les sous-régions du Conseil. Le défi d'enseigner la lecture en français est plus élevé dans certaines écoles.

46. Voir un extrait d'un test de raisonnement/compréhension et d'un test de débit, annexe N (p. 110).

(cinq à six questions inférentielles). Le niveau de difficulté de ces tests en raisonnement/compréhension est assez élevé, de manière à ne pas avoir de plafond à la mesure.

TABLEAU A

DIR en lecture - 1ʳᵉ année

Septembre 2006 à juin 2008

	Débit-brut			% d'exactitude			Débit-exact			Raisonnement et compréhension		
	Avant	Après	Chang.	Avant	Après	Chang.	Avant	Après	Chang.	Avant	Après	Chang
Moyenne des Groupes DIR (16 groupes, 137 élèves)	23	54	+ 31	75	97	+ 22	17	53	+ 36	18	36	+ 18
Moyenne des Groupes références (16 classes, 331 élèves)	52	73	+ 21	95	97	+ 2	49	71	+ 22	41	47	+ 6
Différences	- 29	- 19	+ 10	- 20	0	+ 20	- 32	- 18	+ 14	- 23	- 11	+ 12

Le Tableau A[47] expose les résultats du programme DIR en 1ʳᵉ année entre les mois de septembre 2006 et de juin 2008. Au cours de cette période, 16 interventions DIR on été réalisées, touchant 137 élèves faibles. En règle générale, les interventions DIR en première année débutent entre les mois de janvier et d'avril. Vingt-neuf pour cent (137/468) des élèves de la cohorte de 1ʳᵉ année ont participé au programme DIR.

Parmi les observations qui sautent aux yeux, on peut constater que les élèves faibles des groupes DIR obtiennent le même pourcentage d'exactitude après l'intervention que le groupe référence (97 %). De plus, le débit-brut et le débit-exact des élèves faibles progressent plus rapidement que chez les élèves des groupes références, ce qui est un indice d'un certain rattrapage. L'écart entre les groupes DIR et références au débit-exact

---

47. Je remercie Yvette Lavigne, entraîneur de mes programmes au Conseil scolaire de district catholique de l'Est ontarien, d'avoir colligé les données et préparé les tableaux.

rétrécit, passant de -32 à -18. C'est une différence appréciable. Lorsqu'on écoute un enfant lire à 17 mots/minute (avant — groupes DIR en débit-exact) à côté d'un autre enfant lisant à 49 mots/minute (avant — groupes références), la différence est audible et non équivoque. Par contre, lorsqu'un enfant lit à 53 mots/minute (après — groupes DIR en débit-exact) parallèlement à un autre qui lit à 71 mots/minute (après —·groupes références), la différence est beaucoup moins perceptible. Le rendement des élèves DIR au test raisonnement/compréhension indique aussi une diminution importante de l'écart avec les groupes références, passant de -23 à -11. L'ensemble de ces résultats tend à démontrer que les groupes DIR en 1re ont progressé et réduit les écarts de rendement par rapport aux groupes références.

TABLEAU B

DIR en lecture - 2e année

Septembre 2006 à juin 2008

	Débit-brut			% d'exactitude			Débit-exact			Raisonnement et compréhension		
	Avant	Après	Chang.	Avant	Après	Chang.	Avant	Après	Chang.	Avant	Après	Chang.
Moyenne des Groupes DIR (11 groupes, 103 élèves)	35	70	+ 35	88	97	+ 9	30	68	+ 38	13	28	+ 15
Moyenne des Groupes références (11 classes 274 élèves)	59	78	+ 19	97	97	0	57	75	+ 18	30	35	+ 5
Différences	- 24	- 8	+ 16	- 9	0	+ 9	- 27	- 7	+ 20	- 17	- 7	+ 10

Le Tableau B présente les résultats obtenus avec le programme DIR en 2e année entre les mois de septembre 2006 et de juin 2008. Cent trois enfants ont bénéficié du programme DIR, ce qui représente 27 % (103/377) de l'ensemble des élèves de la cohorte concernée. Le programme DIR est habituellement appliqué au mois de septembre avec les élèves de la 2e année.

Comme pour les groupes DIR de la 1ʳᵉ année, les groupes DIR de 2ᵉ année obtiennent un pourcentage d'exactitude identique aux groupes références après l'intervention (97 %). Le changement au niveau du débit-exact est particulièrement substantiel, effaçant presque entièrement la différence entre les groupes DIR et références (68 mots/minute groupes DIR contre 75 mots/minute groupes références). Cette différence de débit-exact n'est pas perceptible. L'écart entre les groupes DIR et références est aussi grandement réduit entre les deux mesures de raisonnement/compréhension, passant d'un écart de -17 points de pourcentage à un écart de -7 points. Il m'apparaît légitime de conclure que l'écart entre les élèves des groupes DIR et ceux des groupes références de 2ᵉ année semble avoir été réduit d'une manière significative.

TABLEAU C

3ᵉ année

Septembre 2006 à juin 2008

	Débit-brut			% d'exactitude			Débit-exact			Raisonnement et compréhension		
	Avant	Après	Chang.	Avant	Après	Chang.	Avant	Après	Chang.	Avant	Après	Chang.
Moyenne des Groupes DIR (4 groupes, 34 élèves)	88	129	+ 41	97	99	+ 2	86	128	+ 42	33	47	+ 14
Moyenne des Groupes références (4 classes 67 élèves)	111	123	+ 12	99	99	0	110	122	+ 12	51	47	- 4
Différences	- 23	+ 6	+ 29	- 2	0	+ 2	- 24	+ 6	+ 30	- 18	0	+ 18

Le Tableau C montre les résultats des élèves faibles de 3ᵉ année ayant participé au programme DIR pendant la même période que ceux des deux autres tableaux. Trente-quatre pour cent des élèves (34/101) ont bénéficié du programme DIR. Dans ce cas-ci, les résultats sont assez impressionnants. Les groupes DIR terminent avec des rendements plus élevés que les groupes références au débit (débit-brut: DIR 129 mots/ minute, références 123 mots/minute; débit-exact: DIR 128 mots/minute, références 122 mots/minute) et *ex æquo* à l'exactitude (99%) ainsi qu'en raisonnement/compréhension (47%). Ces résultats semblent démontrer que les élèves des groupes DIR ont complètement comblé l'écart qu'il y avait avec les groupes références. Il est important de souligner que certains des enfants des groupes DIR en étaient à leur deuxième ou troisième intervention DIR depuis le début de leur scolarisation. Cela peut expliquer en partie les résultats.

Dans les trois tableaux présentés, il y a des écoles où seul le programme DIR est en application et d'autres milieux où le programme DIR est accompagné de mes autres programmes en lecture (DAL en 1re année et EERCL en 2e et 3e année[48]). Est-ce un avantage pour les élèves faibles qu'ils aient accès au programme DIR dans une école en complément à mes programmes en lecture dans la classe ordinaire (DAL et EERCL)? La comparaison des Tableaux D et E nous donne un commencement de réponse. Je reprends les résultats de la 2e année, mais j'isole les DIR sans DAL et sans EERCL (Tableau D) des DIR avec DAL et EERCL (Tableau E)[49].

---

48. DIR: Développement intensif du raisonnement (en lecture); DAL: Développement accéléré de la lecture (1re année du primaire); EERCL: Enseignement explicite du raisonnement et de la compréhension en lecture (2e année du primaire au secondaire).

49. Les groupes DIR qui n'ont pas été retenus pour cette analyse sont des groupes DIR avec DAL sans EERCL ou sans DAL mais avec EERCL qui ne permettent pas d'isoler clairement les effets.

TABLEAU D
DIR sans DAL et sans EERCL
2ᵉ année
Septembre 2006 à juin 2008

	Débit-brut			% d'exactitude			Débit-exact			Raisonnement et compréhension		
	Avant	Après	Chang.	Avant	Après	Chang.	Avant	Après	Chang.	Avant	Après	Chang.
Moyenne des Groupes DIR (4 groupes, 37 élèves)	24	59	+ 35	73	96	+ 23	18	57	+ 39	8	21	+ 13
Moyenne des Groupes références (4 groupes, 87 élèves)	57	76	+ 19	95	97	+ 2	56	74	+ 18	30	33	+ 3
Différences	- 33	- 17	+ 16	- 22	- 1	+ 21	- 38	- 17	+ 21	- 22	- 12	+ 10

TABLEAU E
DIR avec DAL et EERCL
2ᵉ année
Septembre 2006 à juin 2008

	Débit-brut			% d'exactitude			Débit-exact			Raisonnement et compréhension		
	Avant	Après	Chang.	Avant	Après	Chang.	Avant	Après	Chang.	Avant	Après	Chang.
Moyenne des Groupes DIR (3 groupes, 26 élèves)	50	80	+ 30	91	98	+ 7	44	78	+ 34	20	38	+18
Moyenne des Groupes références (3 groupes, 48 élèves)	66	81	+ 15	97	96	- 1	64	78	+ 14	43	44	+ 1
Différences	- 16	- 1	+ 15	- 6	+ 2	+ 8	+ 20	0	+ 20	- 23	- 6	+ 17

DIR sans DAL et sans EERCL (Tableau D) signifie que l'enfant qui est dans le programme DIR n'a pas la possibilité de revoir dans sa classe les activités et les procédures exercées dans le programme DIR. DIR avec DAL et EERCL (Tableau E) signifie que l'enfant qui est dans le programme DIR a appris à lire en 1re année avec DAL et qu'il poursuit en 2e année avec EERCL dans sa classe, ce qui lui permet de continuer à travailler les procédures qu'il développe dans le cadre du programme DIR. En théorie, on devrait observer de meilleurs rendements avec la combinaison de DIR, DAL et EERCL, puisque la cohérence de l'enseignement entre les degrés est augmentée. Et c'est exactement ce que l'on peut observer en comparant les Tableaux D et E.

Sur toutes les mesures, les enfants du « DIR avec DAL et EERCL » commencent et terminent mieux que les enfants du « DIR sans DAL et sans EERCL ». De plus, même les groupes références « DIR avec DAL et EERCL » ont des rendements plus élevés que les groupes références « DIR sans DAL et sans EERCL ». Malgré l'échantillonnage réduit, je pense qu'on peut dire que les données tendent à témoigner que la combinaison des programmes DIR, DAL et EERCL procure un net avantage à tous les élèves, y compris les plus forts. En ce qui concerne les enfants les plus faibles de la cohorte, l'effet combiné des trois programmes semble rehausser significativement leur niveau de rendement en lecture. Il y aura toujours des élèves faibles dans un groupe, mais ces résultats tendent à indiquer qu'on peut réduire substantiellement les écarts entre eux et les autres élèves du groupe. Ce faisant, l'apprentissage des élèves les plus faibles devient plus aisé et leur vie devient probablement plus agréable…

En conclusion, l'utilisation du programme DIR semble favoriser une réduction des écarts entre les élèves les plus faibles d'une cohorte et les autres enfants. Cet effet est possiblement le résultat d'un ensemble de facteurs comme le recours au modèle de l'Enseignement explicite, l'exploitation des trois sources de motivation, le centrage des contenus d'apprentissage sur les contenus pertinents identifiés par la recherche scientifique et l'apport d'un matériel pédagogique approprié.

Et notre élève de 3ᵉ année, José Miguel, dont je parlais au début du livre, qui lit oralement 15 mots/minute en débit-exact avec une exactitude de 65 % et un niveau de raisonnement/compréhension de 10 % au mois de septembre, qui a plus ou moins deux ans de retard, avons-nous une chance de le réchapper avec le programme DIR ? José Miguel aura probablement besoin de deux interventions DIR en lecture, une en 3ᵉ année et une autre en 4ᵉ ou en 5ᵉ, pour avoir une chance de rattraper son groupe d'appartenance en lecture. Une fois cela accompli, la guerre ne sera pas gagnée pour autant. Il a et aura automatiquement un retard important en écriture, que le simple fait de progresser en lecture n'effacera pas. Il aura donc besoin d'au moins une intervention DIR en écriture. En ce qui concerne les mathématiques, il est également possible que son retard en lecture finisse par avoir des conséquences dans cette matière. José Miguel a une chance de récupérer son retard en lecture, mais les conditions nécessaires (temps et type d'intervention) dépassent largement ce qu'une école ordinaire est habituellement disposée à offrir à de tels enfants. La solution pour éviter cette situation catastrophique ? Intervenir systématiquement et intensivement dans les deux premières années de l'apprentissage de la lecture afin de ne pas laisser un enfant prendre un tel retard, cela dès les premières semaines de la 1ʳᵉ année[50].

---

50. La tâche et les conditions de travail de certains orthopédagogues dans certaines écoles sont aberrantes et offrent peu de possibilités de faire une différence pour qui que ce soit et pour quoi que ce soit. Avoir plus de 30 enfants à suivre par semaine, certains en lecture, quelques-uns en écriture, certains en mathématiques, d'autres en langage, certains autres au niveau du comportement et des habiletés sociales, du préscolaire à la 6ᵉ année primaire, relève de l'*hyperactivisme* tournant à vide. L'effet réel de l'orthopédagogue dans une telle situation, malgré toutes ses compétences, ne peut être que superficiel, même si politiquement, ça semble gagnant. Un enfant comme José Miguel, dans une telle école, n'a aucune chance de rattraper son retard.

Et la pédagogie qui piétine...

Après toutes ces années de salmigondis socio-constructiviste et pré-socio-constructiviste, de pédagogie du vécu et de la mise en situation centrée sur les intérêts des enfants, de pédagogie par projets et par résolution de problèmes, de pédagogie alternative, de pédagogie différenciée respectant les styles d'apprentissage et les types d'intelligence, de réformes qui abrutissent nos enfants, je rêve d'un monde scolaire où l'athéisme dans les approches pédagogiques serait une norme partagée par la majorité. Il n'est pas rare en effet d'entendre un professionnel de l'éducation (enseignant, direction, orthopédagogue, psychologue, conseiller pédagogique, orthophoniste, psycho-éducateur, etc.) affirmer avec enthousiasme qu'il « croit » dans telle ou telle approche. Les professionnels en éducation sont des croyants...

La foi n'a pas sa place dans les approches, les modèles, les procédures et les stratégies pédagogiques. Ce que vous faites, ce que je fais, ce que nous faisons n'est que la somme de ce que l'on sait ou pense savoir et de ce que l'on perçoit et comprend, à l'instant où l'on intervient. *Punto!* Ce que l'on fait est à jamais, pour des siècles et des siècles, du domaine du perfectible. Il n'y a pas de pédagogies, pas d'approches qui ont atteint une compréhension totale et finale de l'acte d'apprendre.

En corollaire, cela signifie qu'on n'observe jamais le potentiel d'un enfant, seulement le potentiel de nos interventions. Affirmer le contraire, c'est d'une prétention épouvantable. Il y a trente ans, la majorité des experts ne croyaient pas qu'un enfant trisomique pouvait apprendre à lire. Aujourd'hui, des trisomiques apprennent à lire. Cultivons l'humilité et restons sceptiques.

Vous voulez avoir la foi? Ayez-la dans le potentiel de vos élèves. Nous ne saurons jamais tout ce qu'ils peuvent et auraient pu apprendre. Avec le support affectif et cognitif approprié, vos élèves, nos enfants repousseront leurs limites et nos ornières.

Et pour finir

Le programme DIR n'est pas miraculeux. Il demande des efforts gigantesques de la part des enfants, des orthopédagogues et de l'ensemble du personnel d'une école. Et parfois, malgré tous les efforts déployés dans le cadre du programme DIR, les résultats sont médiocres ou, plus tristement, négatifs. Mais ce n'est jamais la faute des enfants. Les seuls responsables, c'est nous, les adultes, les professionnels de l'éducation. L'enfant n'y est pour rien, peu importe les circonstances, son comportement, le langage qu'il utilise à la maison et ses conditions de vie.

Si je vous demande de réduire l'équation algébrique suivante en isolant « a » : $b(a + c)/e = d$[51] et que vous avez des difficultés à la réduire, est-ce la faute à l'équation ? Pas du tout, évidemment. C'est parce que vous ne savez pas comment faire ou que ça fait trop longtemps que vous n'avez pas résolu une telle équation. Mais dans tous les cas, c'est vous le problème, pas l'équation. Chaque enfant qu'on rencontre est une équation plus ou moins complexe à résoudre et c'est notre responsabilité de la résoudre pour qu'il apprenne et se développe. L'équation d'un enfant délaissé par ses parents, violenté par son entourage, qui manifeste un problème de langage, qui est étiqueté hyperactif et qui a un retard d'apprentissage, est forcément complexe à résoudre. Mais en même temps, n'est-ce pas un magnifique défi qui ne peut que bonifier notre humanité ?

« On n'a pas accès à ce que l'on ne peut pas imaginer. »

Robert Rembold

---

51. Solution : $a = ed/b - c$.

ANNEXES

Quelques définitions

Autoraisonnement : l'autoraisonnement désigne une série d'habiletés qui doivent être générées par l'élève en lisant, cela sans les incitations et les questionnements de l'enseignant. Ces habiletés s'exercent en lisant et elles englobent l'habileté à assimiler des informations littérales, à inférer des informations, à retenir certaines de ces informations, à formuler des questions littérales et inférentielles et à y répondre, à prendre des notes, à identifier un bris de compréhension, et à le résoudre.

Bris de compréhension : le bris de compréhension désigne habituellement la situation où le mot est oralisé, mais sans être compris (signification). Le bris de compréhension peut également ment porter sur une expression, une métaphore, une tournure de phrase ou sur l'intention de l'auteur.

Bris de décodage : le bris de décodage désigne la situation où le mot ne peut pas être oralisé, partiellement ou totalement. Il est possible qu'un élève ait un bris de décodage et un bris de compréhension sur le même mot.

Compréhension inférentielle : habileté à déduire des informations probables ou certaines à partir d'informations textuelles ou d'autres informations inférées du texte. La compréhension inférentielle crée des informations supplémentaires au texte.

Compréhension littérale : habileté à comprendre les informations textuelles transmises par le texte.

Débit-brut : nombre de mots lus en une minute ; le débit-brut inclut les erreurs de l'enfant, qu'il les ait corrigées ou non, ainsi que les mots qu'on peut lui avoir lus pour le dépanner dans sa lecture.

Débit-exact : nombre de mots bien lus en une minute (excluant toutes les erreurs ; voir l'annexe B, p. 79, pour les balises proposées par degré scolaire).

Décoder: lire un mot en oralisant le bruit des lettres ou de plusieurs lettres composant le mot.

Globaliser: reconnaître la configuration d'un mot sans le décodage des lettres.

Groupe DIR: le groupe DIR est constitué des élèves qui bénéficient du programme DIR dans le cadre du service orthopédagogique à un degré scolaire donné.

Groupe référence: le groupe référence est constitué de tous les élèves d'un degré scolaire moins les élèves qui bénéficient du service orthopédagogique.

Pourcentage d'exactitude: nombre de mots bien lus divisé par nombre total de mots lus multiplié par 100; un pourcentage d'exactitude inférieur à 90% est jugé faible, peu importe le degré scolaire.

Rétention: à la suite de la lecture d'un texte, habileté à retenir, pendant un certain temps, des informations textuelles pertinentes parce qu'elles sont, aux yeux du lecteur, importantes et/ou recherchées et/ou nouvelles et/ou simplement intéressantes. Le lecteur accompli retient également les ou certaines des informations qu'il a inférées.

Balises proposées en débit selon le degré scolaire au mois de juin

Le tableau de la page suivante propose des objectifs minimaux de débit-exact à la fin de l'année scolaire, selon le degré. Ces objectifs proposent une moyenne de groupe (*Profil moyen souhaité du groupe*) et un critère concernant le profil des élèves les plus faibles (*Profil souhaité pour les élèves les plus faibles*). Ce dernier élément pose un défi aux titulaires. Si la moyenne de groupe peut être facilement atteinte avec l'ensemble des élèves, si on utilise les activités appropriées de lecture, l'atteinte du critère concernant les élèves les plus faibles implique habituellement un travail plus rigoureux afin de ne pas laisser ces élèves stagner ou régresser. Il faut, d'une part, que les titulaires fassent une récupération pédagogique systématique de ces élèves dès qu'ils manifestent une stagnation, cela tout au long de l'année et, d'autre part, la mise en place au cours de l'année scolaire de mesures orthopédagogiques efficaces pour les plus faibles, si leur faiblesse le justifie.

Stratégiquement, de la 2e à la 6e année primaire, il est préférable de viser l'atteinte des objectifs proposés (balises) avant la fin du mois de mars. En 1re année, je propose de viser l'atteinte de ces objectifs avant le mois de mai. Dans tous les cas, il n'y a vraiment pas de contre-indication à dépasser ces objectifs...

Balises au mois de juin du débit et de l'exactitude par degré scolaire[1]

Degré scolaire	Profil moyen du groupe	Profil souhaité pour les élèves les plus faibles
1re	Débit-exact : 50 mots/minute et + Exactitude : 90 % et +	Débit-exact : aucun élève en bas de 27 mots/minute Exactitude : aucun élève en bas de 90 %
2e	Débit-exact : 70 mots/minute et + Exactitude : 95 % et +	Débit-exact : aucun élève en bas de 50 mots/minute Exactitude : aucun élève en bas de 95 %
3e	Débit-exact : 90 mots/minute et + Exactitude : 95 % et +	Débit-exact : aucun élève en bas de 70 mots/minute Exactitude : aucun élève en bas de 95 %
4e	Débit-exact : 110 mots/minute et + Exactitude : 95 % et +	Débit-exact : aucun élève en bas de 90 mots/minute Exactitude : aucun élève en bas de 95 %
5e	Débit-exact : 120 mots/minute et + Exactitude : 95 % et +	Débit-exact : aucun élève en bas de 100 mots/minute Exactitude : aucun élève en bas de 95 %
6e	Débit-exact : 130 mots/minute et + Exactitude : 95 % et +	Débit-exact : aucun élève en bas de 110 mots/minute Exactitude : aucun élève en bas de 95 %

1. Vous trouverez des normes américaines sur le site suivant : http://www. readnaturally.com/howto/orftable.htm (Hasbrouck et Tindal, 2006). Il est important de mentionner que le débit-exact en lecture orale est plus ou moins rapide selon la langue employée. D'après mes observations, le débit-exact en lecture orale en anglais est plus rapide qu'en français de 10 à 20 mots à la minute à partir de la fin de la 3e année. Le débit-exact en espagnol est légèrement plus lent qu'en français. Ces différences paraissent découler simplement de la longueur moyenne des mots à l'écrit (mots plus courts en anglais, plus longs en français et en espagnol).

ANNEXE C
Estimation du temps consacré à l'enseignement de la lecture au primaire au Québec, selon les degrés scolaires

Degré scolaire	Nombre d'heures consacrées annuellement à l'enseignement du français tel que proposé dans le régime pédagogique québécois à la section « Répartition des matières »	Estimation de la portion du temps consacré à l'enseignement de la lecture sur le temps total dédié à l'enseignement du français	Nombre d'heures consacrées approximativement à l'enseignement de la lecture en un an[2]
1re	324 heures (9 X 36 semaines)	0,70[1]	227 heures
2e	324 heures (9 X 36 semaines)	0,60	194 heures
3e	252 heures (7 X 36 semaines)	0,60	151 heures
4e	252 heures (7 X 36 semaines)	0,50	126 heures
5e	252 heures (7 X 36 semaines)	0,50	126 heures
6e	252 heures (7 X 36 semaines)	0,50	126 heures

1. La portion attribuée à la lecture à chaque degré scolaire est une estimation basée sur des observations informelles en milieu scolaire. En 1re année, le personnel enseignant consacre habituellement une très grande portion du temps à l'enseignement de la lecture. Graduellement, cette portion est réduite dans les degrés supérieurs au profit principalement du volet écriture.

2. En réalité, le nombre réel d'heures est inférieur, compte tenu des activités diverses que l'école intègre. Par exemple, la première et la dernière semaine de l'année scolaire sont habituellement consacrées à des activités légères ou ludiques. Il y a également un ensemble de thèmes annuels qui grugent plus ou moins le temps disponible à l'apprentissage scolaire comme les olympiques en éducation physique, la semaine du carnaval, la fête de Noël, l'Halloween, la Saint-Valentin, les sorties éducatives, etc.

ANNEXE D

Exercice sans filet d'une évaluation du retard d'apprentissage en fonction du débit-exact et du degré scolaire

Pour un orthopédagogue, être capable de quantifier le retard d'un enfant est souvent un exercice périlleux dans un monde où les balises et les instruments d'évaluation sont rares et souvent non pertinents.

Cette annexe est un exercice, très imparfait, qui repose en partie sur des postulats présentés ci-dessous et sur des résultats de l'implantation du programme DIR colligés au cours des années. Cependant, il est important de mentionner que cet exercice d'évaluation du retard d'apprentissage n'a pas été validé statistiquement. Cet exercice est essentiellement une incitation à être plus pragmatique dans la planification de l'investissement nécessaire (en temps) pour récupérer le retard en lecture d'un enfant.

Le présent exercice d'évaluation du retard d'apprentissage prend appui sur la notion de débit-exact en lecture orale (pour les définitions, voir l'annexe A, p. 77 ; pour le protocole d'évaluation de la lecture orale, voir l'annexe K, p. 102). Il va sans dire qu'une évaluation complète en lecture d'un élève implique l'évaluation du raisonnement et de la compréhension pour avoir un aperçu juste et complet de son profil[1].

---

1. Il arrive parfois qu'un élève ait un retard important au niveau du débit-exact, tout en manifestant un niveau de raisonnement et de compréhension en lecture acceptable ou supérieur à son degré scolaire. Sans une évaluation du raisonnement et de la compréhension en lecture, on ne peut identifier correctement ce type d'enfant, ni valider l'effet de nos interventions futures sur ce volet essentiel de la lecture (le raisonnement et la compréhension). Il demeure que ce profil d'enfant, débit-exact très faible et raisonnement-compréhension acceptable ou élevé, n'est pas fréquent. En règle générale, un enfant qui lit très lentement ne développe pas une compréhension optimale et ne peut pas raisonner en lisant.

Estimation du temps d'apprentissage nécessaire pour récupérer un retard d'apprentissage

Pour avoir une estimation la plus précise possible du temps d'apprentissage nécessaire à la récupération d'un retard, je considère qu'il faut, d'une part, considérer le temps normalement consacré à cet apprentissage (voir l'annexe C, p. 81) et, d'autre part, y soustraire un certain nombre d'heures découlant de deux phénomènes distincts : 1) les apprentissages d'acclimatation et 2) les apprentissages résiduels. Ces deux phénomènes sont discutés brièvement ci-dessous en fonction de la 1re année.

Les apprentissages d'acclimatation désignent certains apprentissages extérieurs à l'apprentissage de la lecture, mais à tout le moins nécessaires pour que l'enfant apprenne dans le contexte d'une classe. Par exemple, en 1re année l'enfant doit apprendre des choses aussi banales que comment et où s'asseoir, comment et où regarder pendant les diverses activités de la classe, comment et quand parler et participer, comment et quand écouter, ainsi que l'ensemble des règles plus spécifiques rattachées aux diverses activités de lecture utilisées par le titulaire. L'existence de ce type d'apprentissage, l'acclimatation, s'observe souvent en 1re année, entre autres durant les premières semaines d'école quand les enfants arrivent dans la classe le matin. Plusieurs enfants entrent dans la classe et attendent qu'on leur dise ce qu'ils doivent faire (s'asseoir à leur place), cela même après plusieurs jours d'école. Ces mêmes enfants, une fois assis, gardent leur cartable sur eux en parlant avec leurs voisins jusqu'au moment où le titulaire leur dit de le vider dans leur pupitre et de se taire… Il en va de même pour disposer du sac-repas, de se mettre en rang, de prendre les bons instruments de travail… Habituellement, après une dizaine de jours, plusieurs de ces comportements d'acclimatation sont acquis et ne nécessitent plus l'intervention systématique du titulaire. Autre exemple : l'écoute. Il n'est pas rare d'observer des enfants de 1re année qui n'écoutent pas du tout leur titulaire si ce dernier s'adresse au groupe. Ce n'est pas l'impolitesse qui est responsable de ce comportement. Ces enfants n'ont tout simplement pas encore assimilé une convention de base de l'école qui pourrait être formulée ainsi dans le langage de l'enfant : lorsque le titulaire parle à tout le monde, il s'adresse aussi à moi, donc je dois écouter. Ces apprentissages d'acclimatation grugent un certain pourcentage du temps voué à l'apprentissage formel de la lecture que je dois retrancher pour isoler le temps réel d'enseignement de la lecture.

Un autre phénomène intervient, mais cette fois-ci plus spécifiquement chez les élèves en difficulté d'apprentissage : les « apprentissages résiduels ». Un élève qui ne sait pas lire en 1ʳᵉ année au mois de juin (par exemple, ayant un débit-exact inférieur à 10 mots/minute) a habituellement acquis, malgré tout, plus de connaissances sur la lecture qu'un novice au mois de septembre qui commence l'apprentissage de la lecture en 1ʳᵉ année. C'est ce que j'appelle les apprentissages résiduels. Par exemple, l'élève de 1ʳᵉ année qui ne sait pas lire et qui ne connaît pas le bruit de toutes les lettres utiles de l'alphabet est tout de même habituellement plus familier avec ces symboles que le novice de 1ʳᵉ année. Ces apprentissages, qui sont une sorte de réminiscence, ne sont habituellement pas détectés par les instruments d'évaluation de la lecture. Si on veut calculer le temps sans doute nécessaire pour apprendre à lire à l'enfant non lecteur de la fin de la 1ʳᵉ année, il faut soustraire le *poids* des apprentissages résiduels du total des heures consacrées à l'enseignement de la lecture, afin de refléter cette légère avance théorique de l'enfant qui ne sait pas lire à la fin de la 1ʳᵉ année comparé à l'enfant novice qui est au début d'une 1ʳᵉ année.

Ces deux phénomènes représentent l'avance légère des élèves en difficulté sur le novice, mais de quelle ampleur est cette avance ? Il me semble que le *poids* des apprentissages résiduels et des apprentissages d'acclimatation peut être théoriquement d'environ 10 % ($0,10 \times 227 = 22,7$ heures), ce qui reflète la position qu'il ne peut pas être substantiel — l'élève étant en difficulté d'apprentissage, tout de même —, mais qu'il ne peut pas être nul non plus. Donc, le total du temps nécessaire pour apprendre à lire, une fois la 1re année terminée sans avoir appris à lire, serait de 204 heures (227 − 23 = 204 heures).

En d'autres mots, je pose comme hypothèse que pour apprendre à lire, un lecteur novice au début de la 1re année consommera environ 227 heures et un non-lecteur à la fin d'une 1re année (non novice) aura besoin d'environ 204 heures parce que celui-ci a fait les apprentissages d'acclimatation et qu'il possède des apprentissages résiduels de sa 1re année de scolarité, en dépit de son échec.

Le tableau ci-dessous propose des balises en 1re année au début du mois d'avril à partir du rationnel précédent. Comme une année scolaire au Québec correspond à 180 jours répartis sur 10 mois et que le tableau concerne le profil d'enfants au début du mois d'avril, j'ai pris les 0,7 de 204 heures, donc 143 heures comme base de calcul (0,7 × 205 = 143 heures ; 0,7 correspond aux sept mois écoulés entre le début septembre et le début avril).

1re année primaire au Québec
Début avril

Profil type de l'élève exprimé en débit-exact au début d'avril (en mots/minute)	Estimation du retard scolaire (en heures)	Estimation du retard scolaire (en année scolaire)
≥ 15 et ≤ 20	64 - 82	0,30 - 0,40
≥ 10 et ≤ 15	84 - 102	0,40 - 0,50
≥ 4 et ≤ 10	104 - 122	0,50 - 0,60
≤ 4	125 -143	0,60 – 0,70

---

2. L'année scolaire comprend 180 jours répartis sur 10 mois, ce qui donne 18 jours par mois en moyenne. Chaque niveau est calculé avec un écart d'un mois (ex. : ≤ 4 est 143 jours − 18 = 125 jours, donc de 125 à 143 jours). *Idem* pour le pourcentage de l'année scolaire.

Dans le tableau précédent, le profil d'un enfant non lecteur en 1re année au début avril ayant un rendement de ≤ 4 mots/minute en débit-exact signifie qu'il a un déficit d'environ 120 à 143 heures d'apprentissage et qu'il a approximativement six à sept mois de retard d'apprentissage sur une année scolaire de 10 mois. Si cet enfant commence à recevoir le soutien du service orthopédagogique à raison de 30 minutes par jour au mois d'avril jusqu'au dernier jour d'école au mois de juin (approximativement 54 jours[3]), il recevra 27 heures d'intervention qui ne représentent que 19 % à 22 % (27/143 = 0,1888 ; 27/120 = 0,2250) du déficit d'apprentissage de 143 heures. La probabilité de récupération du retard est nulle dans ces conditions.

Le profil d'un enfant lisant plus de 4 mots/minute et moins de 10 mots/minute en débit-exact (≥ 4 et ≤ 10 mots/minute) au mois d'avril indique un déficit d'environ 70 à 102 heures qui correspond à un retard d'environ quatre à cinq mois d'apprentissage, et ainsi de suite.

L'enfant de 1re année qui a un profil de lecteur supérieur à 20 mots/minute en débit-exact au début du mois d'avril n'est pas en difficulté s'il poursuit sa progression jusqu'au mois de juin. Idéalement, *il faut viser que les enfants les plus faibles en 1re année au mois de juin aient un débit-exact plus grand ou égal à 27 mots/minutes.* Les enfants qui n'ont pas atteint ce seuil minimal au mois de juin subissent habituellement une forte régression au cours de l'été. Dans le cas des enfants ayant un débit inférieur à 20 mots/minute au mois de juin, la régression d'apprentissage au cours de l'été peut atteindre la perte complète de l'habileté à lire. Au-delà du seuil de 27 mots/minute en débit-exact (qui demeure un seuil minimal), il y a quand même régression, particulièrement si les enfants ne lisent pas au cours de l'été, mais elle est généralement moins accentuée.

---

3. Ce qui est peu plausible, les interventions orthopédagogiques n'allant jamais jusqu'à la toute dernière journée du mois de juin.

Après diverses applications de mes programmes, ce critère semble valide en français, en anglais et en espagnol.

En dépit de l'imperfection évidente du présent exercice d'évaluation du temps nécessaire à récupérer un retard, celui-ci fait la démonstration que les solutions de saupoudrage du service orthopédagogique dans certaines écoles, en offrant deux séances de 40 minutes par semaine à un enfant en grande difficulté d'apprentissage de la lecture, dédouanent probablement la conscience professionnelle de certains qui se diront : « au moins cet enfant reçoit un service »[4]. Mais il est flagrant que ce service ne changera en rien la situation de cet enfant, et supposer le contraire relève de la pure utopie.

---

4. La politique officieuse du « au moins, il a un service » ou « un peu, c'est mieux que rien » que l'on observe à l'occasion dans les écoles québécoises recèle des effets pervers pour les enfants concernés. Il arrive qu'un enfant en difficulté d'apprentissage reçoive un service dont l'intensité est, de l'avis de tous (direction, orthopédagogue, titulaire, etc.), nettement insuffisant pour que l'enfant ait une chance de récupérer une partie de son retard. Cet enfant bénéficie alors de la politique « au moins, il a un service » ou « un peu, c'est mieux que rien » qui peut sembler inoffensive, mais ce n'est pas le cas. Un enfant en difficulté d'apprentissage qui reçoit une attention particulière, en classe ou hors classe, d'un adulte à *l'aura professionnelle* sait que c'est pour l'aider dans son apprentissage. Lorsque que cet enfant constate que malgré cette aide il ne progresse pas significativement, il est forcé de conclure qu'il est vraiment « poche » ou idiot. Un jeune enfant peut faire ce constat dès la 1re année. L'intervention orthopédagogique devient alors, pour l'enfant, le sceau officiel de son incapacité à apprendre. Malheureusement, une intervention orthopédagogique qui ne produit pas de changements réels observables chez l'enfant peut causer un malaise profond et douloureux chez cet enfant, tout en accentuant son retard et en cristallisant ses difficultés. Savoir à l'avance que le service offert à l'enfant en difficulté n'a aucune chance de l'aider à récupérer une partie de son retard est éthiquement inacceptable. Il est même préférable de ne pas intervenir si nous n'avons pas le temps nécessaire qui nous donnera une chance de réduire le retard scolaire de l'enfant. Faire autrement dédouane sans doute superficiellement certaines autorités de leurs responsabilités, mais c'est aussi ajouter injustement un poids plus grand à la situation très inconfortable et douloureuse que vit cet enfant.

ANNEXE E

Extrait

Grilles des comportements et des normes des programmes DIR, DAL, EERCL et EERE

5.0 Éléments de base du développement de l'intérêt envers la littérature

Date: _____

Nom: _____

École: _____

Degré(s): _____   Journée n°: _____

L'enseignante...	++	+	+/-	-
1) Aborde brièvement, 7 à 10 séances avant d'exploiter un roman ou un ouvrage informatif, certains des éléments ci-dessous (points 2 à 8) et ce, quotidiennement.				
2) Présente la couverture du prochain livre.				
3) Présente des informations historiques, géographiques et conceptuelles nécessaires à l'exploitation du roman ou de l'ouvrage informatif.				
4) Expose certains éléments de la trame du prochain livre (roman) afin de susciter l'intérêt.				
5) Présente les sentiments suscités — rire, joie, tristesse, peur, surprise... — à la lecture du prochain livre (roman).				
6) Présente les valeurs sous-jacentes au prochain livre (roman) — le courage, l'entraide, le respect de la diffé-rence...				
7) Présente les dilemmes moraux abordés au cours du prochain livre (roman/fiction) — ex.: faut-il obéir tout le temps? voler, est-ce toujours *mal*? peut-on faire le *mal* pour créer le *bien*?				
8) Présente des questions ou des affirmations intéressantes auxquelles le prochain livre (roman ou ouvrage informa-tif) devrait apporter des réponses ou un éclairage parti-culier.				

ANNEXE F

Extrait

Grilles des comportements et des normes des programmes DIR, DAL, EERCL et EERE

23.0 Éléments de base de l'enrichissement de la relation

Date : _____

Nom : _____

École : _____

Degré(s) : _____ Journée n° : _____

L'enseignante...	++	+	+/-	-
1) Communique explicitement aux élèves qu'ils sont capables de réussir (explique la réussite et l'échec en termes d'efforts ; DIR : 2-3 fois/semaine ; DAL, EERCL, EERE : 1-2 fois/semaine).				
2) Utilise l'humour (DIR 5-6 fois/2 heures ; DAL, EERCL, EERE : 2-3 fois/l'heure).				
3) Utilise le contact amical non contingent.				
4) Reconnaît les sentiments négatifs ressentis par l'élève tout en manifestant explicitement sa confiance qu'il relève le ou les défis.				
5) Fait référence à ses propres expériences difficiles durant l'enfance.				
6) Discute et échange individuellement avec chacun de ses élèves au moins 5 minutes (DAL, EERCL, EERE : 1 fois au cours de la 1re semaine de l'année et 1 fois/2 mois ; DIR : 1 fois avant le début de l'intensif, 1 fois au cours des 10 premières séances et au moins à deux autres reprises au cours de l'intervention).	100 %	99 %	98 %	97 %
7) Communique aux parents des aspects positifs (DAL, EERCL, EERE : 3 fois/année ; DIR : 3 fois).				
8) S'excuse, auprès du groupe ou de l'élève concerné, si une pénalité ou un traitement a été imposé injustement.				

Les élèves...	++	+	+/-	-
9) Rient ou sourient d'une manière évidente à au moins... reprises au cours d'une séance de deux heures (DIR).	6 fois et +	4 à 5 fois	2 à 3 fois	0 à 1 fois
10) Rient ou sourient d'une manière évidente à au moins... reprises au cours d'une séance d'enseignement (DAL, EERCL, EERE).	4 fois et +	2 à 3 fois	1 fois	0 fois
11) Ne craignent pas de faire part de leurs émotions à l'enseignante (au moment approprié; au moment précis prévu à cet effet; pas dans l'action).				

Une définition fonctionnelle de la lecture

Cette définition reflète le rationnel et les recherches derrière le programme DIR et mes autres programmes en lecture. Elle met en lumière certains comportements marqueurs du niveau d'apprentissage de la lecture.

Qu'est-ce que lire?

Mario et Marie-Line jouent sur le trottoir même s'il pleut. Marie-Line fait de la bicyclette. Mario joue avec son ballon rouge. Mohamad est assis sur le bord du trottoir et regarde les deux enfants qui s'amusent.

---

1) Un enfant incapable d'oraliser l'extrait ci-dessus ne sait pas lire.

2) Un enfant qui oralise le passage ci-dessus en changeant plus de quatre mots[1] (en les substituant par d'autres mots qui respectent ou non la syntaxe) ne sait pas oraliser correctement et ne comprendra probablement pas avec précision ce qu'il lit.

3) Un enfant qui oralise correctement (exactitude) l'extrait ci-dessus en prenant plus d'une minute et vingt secondes[2] n'oralise pas avec fluidité et ne comprendra probablement pas avec précision ce qu'il lit.

4) Un enfant qui oralise le passage ci-dessus correctement en prenant moins d'une minute et vingt secondes (exactitude et débit) mais en oralisant sans respecter la segmentation (la ponctuation et les regroupements syntaxiques) ne sait pas oraliser correctement et ne comprendra probablement pas avec précision ce qu'il lit.

---

1. En d'autres mots, une exactitude inférieure à 90 % (32/36).
2. Une minute et vingt secondes représente un débit de 30 mots à la minute.

5) Un enfant qui oralise le passage ci-dessus correctement en prenant moins d'une minute et vingt secondes (exactitude et débit) en respectant la segmentation, mais qui n'en fait pas une lecture prosodique (emphatique), ne sait pas bien oraliser et ne saisit sans doute pas toutes les nuances du texte[3].

6) Un enfant qui oralise correctement (exactitude, débit, segmentation et prosodie) le passage ci-dessus, mais qui est incapable de répondre à au moins deux questions littérales immédiatement après ou pendant sa lecture (Qui a un ballon? Que fait Mohamad? Que fait la fille? Où sont les enfants?) sait oraliser, mais il ne sait pas vraiment lire.

7) Un enfant qui oralise correctement le passage ci-dessus, qui a bien répondu aux questions littérales (exactitude, débit, segmentation, prosodie et rétention) mais qui est incapable de répondre à au moins une question inférentielle immédiatement après ou pendant sa lecture (Combien y a-t-il d'enfants qui jouent sur le trottoir? Est-ce qu'il y a des nuages dans le ciel?) sait oraliser et assimiler l'information littérale présente, mais il ne sait pas que lire, c'est aller au-delà des mots, que lire c'est raisonner; en fait, il n'est pas encore un lecteur accompli.

> *Savoir lire*, c'est être capable d'oraliser avec précision, fluidité, en respectant la segmentation et en mettant l'emphase sur certains éléments (prosodie), en retenant des informations littérales et en faisant des inférences découlant des informations littérales. Lire, c'est réagir au texte ; lire, c'est raisonner.

---

3. Ce dernier élément s'applique plus dans le cas d'un texte plus long et plus dense.

La Lecture raisonnée

La *Lecture raisonnée* est une des activités les plus importantes dans l'ensemble de mes programmes. C'est une activité d'auto-raisonnement primordiale. Cette activité s'appuie sur les travaux de plusieurs chercheurs (Collins, 1991 ; Duffy *et al.*, 1987 ; Lysynchuk *et al.*, 1990 ; Kincade et Beach, 1996 ; Klingner et Vaugh, 1996 ; Palincsar et Brown, 1984 ; Pressley, 2000). C'est par cette activité que la nature profonde de la lecture est explicitée aux élèves. La mise en application de la *Lecture raisonnée* nécessite le recours à des textes consistants et intéressants. Cette activité requiert des romans et des ouvrages informatifs (un exemplaire du même ouvrage pour chaque élève).

À l'origine[1], la *Lecture raisonnée* s'appelait la *Lecture par paragraphes* (Boyer, 1993) et découlait partiellement de l'*Enseignement réciproque* (*Reciprocal Teaching*) de Palincsar et Brown (1984). L'*Enseignement réciproque* possède des accointances avec la vision de l'apprentissage du psychologue russe Vygotski (1978) qui considère que l'apprentissage est, entre autres, le fruit d'un processus d'interactions sociales. Dans cet esprit, l'*Enseignement réciproque* est une activité de discussion de groupe qui structure les échanges entre les élèves et l'enseignant reliés à la lecture d'un texte. Les élèves et l'enseignant discutent en prédisant, en clarifiant, en questionnant et en résumant des passages lus.

La *Lecture raisonnée* est devenue une activité qui tente de rendre visibles les réactions et les raisonnements internes du lecteur accompli, en cours de lecture. La *Lecture raisonnée* emprunte une partie de la structure des échanges de l'*Enseignement réciproque*, mais s'inspire plus fortement des

---

1. Linda Roy, Linda Beauvais et Claudette Martin ont contribué au développement initial de cette activité.

travaux et réflexions de Collins (1991), Duffy *et al.* (1987) et Pressley (1994, 2000). La *Lecture raisonnée* comprend quatre catégories de raisonnement : prédire, élaborer, faire une mise au point et se remémorer. La *Lecture raisonnée qui, quand, où, comment* est une variante de la *Lecture raisonnée* qui est habituellement introduite plus tard et qui intègre l'habileté à générer et à répondre à des questions littérales et inférentielles. Les objectifs de la *Lecture raisonnée* sont d'arriver à ce que 1) les enfants raisonnent en lisant sans l'incitation de l'enseignant (sans indices) et 2) qu'ils soient aptes à identifier les types de raisonnement qu'ils produisent.

Narration brève de la démarche

Après avoir présenté rapidement aux élèves les différents types de raisonnements, l'enseignant commence l'activité en lisant lentement une section du livre à l'étude. Il s'arrête régulièrement pour faire part aux élèves des raisonnements qui lui viennent à l'esprit au cours de sa lecture. Chaque type de raisonnement est identifié parmi les quatre catégories de base : prédire, élaborer, faire une mise au point et se remémorer.

L'habileté à prédire consiste à déduire la suite du texte en termes d'actions. La prédiction doit toujours être explicitement justifiée par des indices du texte. Une prédiction non appuyée ou non justifiable n'est pas recevable. L'habileté à élaborer se définit par la création de liens entre des informations du texte (déduire, extrapoler, juger, etc.) sans que le résultat de ce raisonnement prédise la suite du texte en termes d'actions. L'élaboration doit également être expliquée et motivée d'une manière justifiable. L'habileté à faire une mise au point suppose, dans un premier temps, que le lecteur constate qu'il a un bris de compréhension, donc qu'il ne comprend pas. Dans un deuxième temps, le lecteur doit pouvoir identifier la source de cette incompréhension (types d'incompréhension : un mot, une expression ou une métaphore, la syntaxe de la phrase et *où l'auteur s'en va*). Troisièmement, à la suite de l'identification du bris de compréhension, une stratégie doit être adoptée afin de formuler une hypothèse rétablissant sa compréhension. Les stratégies employées sont : analyser le mot (petit mot dans le grand mot ou grand mot dans le petit mot), lire avant et après (restructurer ou segmenter différemment la phrase au besoin), faire le cinéma les yeux ouverts (utiliser l'illustration disponible, si elle est pertinente) ou les yeux fermés (visualisation de la situation) et faire une analogie. L'habileté à se remémorer diffère selon le type de texte et l'intention de lecture. Lorsque le texte est de type informatif et/ou que l'intention de lecture est d'apprendre ou de se souvenir avec précision où sont les différentes informations dans le texte, on utilise la remémoration par la prise de notes (de un à cinq mots) directement sur le texte ou sur des papillotes mobiles accolées au texte. La fréquence de remémoration est plus élevée dans ces conditions. Lorsque le texte est de type narratif et/ou que la lecture du texte ne demande pas un traitement méticuleux des informations, la remémoration se limite à résumer verbalement en moins de 10 secondes les principales informations que l'on juge pertinentes avant de commencer la lecture ou à la fin de la lecture.

Chacune des habiletés doit être modelée par l'enseignant à plusieurs reprises au cours de l'année. Les élèves doivent suivre la lecture en tout temps, l'enseignant pouvant nommer à n'importe quel moment un élève qui devra lire le mot qui suit le dernier qui a été lu (le relais-mot). La contribution des élèves est sollicitée dès le début pour qu'ils identifient un type de raisonnement fait par l'enseignant ou un élève et pour qu'ils fassent part au groupe de leurs propres raisonnements en les justifiant. La justification des raisonnements, en tout temps, est un élément essentiel à développer. Rapidement, mais selon la progression des élèves, l'enseignant leur remettra la responsabilité de l'activité en partie ou entièrement, ce qui inclut le raisonnement et l'oralisation du texte. En assumant intégralement l'oralisation du texte au départ (mais les élèves doivent suivre ; vérification avec le relais-mot), l'enseignant simplifie la tâche et permet aux élèves de mieux se concentrer sur les raisonnements qu'il fait et, ultimement, facilite le développement de leurs propres raisonnements. Lorsqu'un élève a la responsabilité de faire la lecture (lentement) et de partager ses raisonnements, la contribution des autres élèves et de l'enseignant est maintenue.

Le droit de parole n'est pas automatique et c'est l'enseignant qui gère ce droit. Les élèves indiquent qu'il se passe *quelque chose dans leur tête* en levant la main. La main ouverte signifie que l'élève a une prédiction, une élaboration ou une remémoration à faire. Si le poing est fermé, cela signifie que l'élève a un bris de compréhension. Le choix de donner ou non le droit de parole dépend de plusieurs facteurs, entre autres le nombre d'arrêts déjà faits, le niveau de participation de certains élèves et si le passage sera traité par une question ou une consigne ultérieure. Lorsque les élèves lèvent la main, ils doivent apprendre à continuer à suivre en même temps et à baisser la main après trois secondes s'ils n'ont pas eu la parole.

Quand les élèves sont habiles à raisonner en lisant, on introduit l'activité *Lecture raisonnée qui, quand, où, comment* et, dans les jours qui suivent, on peut planifier promptement la division de la classe en équipes pour accomplir cette activité.

Plusieurs élèves en difficulté d'apprentissage sont disposés à faire les efforts nécessaires pour progresser, mais ne comprennent pas clairement ce qu'ils ont à faire, comment ils doivent le faire, pourquoi ils doivent le faire et quand ils doivent le faire. Il faut réaliser que ce que nous demandons aux élèves d'apprendre, ce sont des actes cognitifs qu'ils ne peuvent généralement pas observer autour d'eux (exemples : raisonner en lisant, comprendre une question, faire une inférence, se dépanner devant un bris de compréhension, etc.). Les enfants peuvent à l'occasion voir le résultat de ces actes cognitifs, mais très rarement le processus sous-jacent en action. Comme professionnels de l'éducation, nous devons constamment tenter de réduire l'opacité de ce que nous leur demandons. La *Lecture raisonnée* est une activité d'Enseignement explicite qui offre une vision claire de ce qu'est lire et de ce que les enfants doivent développer.

La Surlecture

La Surlecture devrait être une activité réservée aux interventions orthopédagogiques. Je ne la recommande pas dans le cadre d'une classe ordinaire parce qu'elle exige un suivi précis que le titulaire d'une classe ordinaire ne peut assurer dans un groupe de 20 élèves ou plus[1]. Cette activité peut causer des dommages importants si elle est appliquée incorrectement avec le matériel inapproprié[2]. De plus, je déconseille fortement l'utilisation isolée de la Surlecture parce qu'elle pourrait générer une conception erronée de ce qu'est lire. Ayant dit tout cela, la Surlecture est une activité très puissante et efficace si elle est appliquée en respectant certains critères et si on dispose du matériel approprié pour la réaliser. Les objectifs de la Surlecture sont d'augmenter l'exactitude, la fluidité et la prosodie de la lecture orale.

Une banque d'au moins 150 textes est nécessaire pour l'organisation de cette activité. Chaque texte compte de 80 à 115 mots, la moyenne étant de 100 mots. Le niveau de difficulté général de la banque doit être facile. Le niveau de facilité est défini par des structures syntaxiques simples, par le recours aux temps de verbes simples et composés[3] et par la présence d'un maximum de trois bris de compréhension (voir annexe A, p. 77). Des textes trop difficiles limitent l'amélioration du débit et de l'exactitude. Dans certaines situations, lorsque les textes sont trop difficiles, les élèves ne progressent tout simplement pas, même après plusieurs semaines. Le type de structures de

---

1. C'est la *Lecture étudiée* qui devrait être utilisée dans les classes ordinaires.
2. Cela peut amener les élèves à lire d'une manière robotique qui nuit à la compréhension et à la rétention des informations lues.
3. J'encourage l'utilisation graduelle du passé simple et de phrases plus complexes à compter d'un débit-exact supérieur à 75 mots/minute.

texte doit se limiter au narratif, au descriptif et à l'informatif. Les textes à structures répétées et les textes poétiques rimés ne sont pas appropriés pour cette activité, les enfants mémorisant trop rapidement ces textes.

La Surlecture s'emploie lorsque les élèves ont un débit d'au moins 20 mots/minute en débit-brut et un pourcentage d'exactitude de 80 % et plus. Le cadre de la Surlecture peut inciter les élèves qui n'ont pas le profil d'entrée (20/80) à deviner les mots pour atteindre le critère de temps qu'on leur impose. Mettre en place cette activité avant que l'élève exhibe le profil 20/80 risque fortement d'augmenter et de complexifier les difficultés qu'il éprouve.

La Surlecture s'inspire particulièrement des écrits et recherches de Laberge et Samuels (1974), Samuels (1979) et de quelques autres (Chard, Vaughn et Tyler, 2002 ; Moyer, 1982 ; Samuels et Reinking, 1992 ; Therrien, 2004).

Narration brève de la démarche

Les élèves qui font de la Surlecture doivent préparer tous les jours au moins deux textes en respectant certains critères. Premier critère : l'élève ne peut faire plus de trois erreurs par texte lorsqu'il sera évalué. Une erreur corrigée par l'élève n'est pas comptabilisée comme une erreur. Deuxième critère : chaque élève se voit fixer un temps minimal exprimé en minutes et secondes qu'il doit atteindre pour chacun de ses textes à lire. Cette vitesse de lecture impose habituellement à l'élève de lire environ 20 mots/minute plus vite que son débit-brut naturel qui a été préalablement évalué. Troisième critère (à partir de 35 mots/minute en débit-exact) : l'élève doit faire les liaisons. Quatrième critère (à partir de ± 45 mots/minute en débit-exact) : l'élève doit respecter la ponctuation. Les erreurs de ponctuation sont comptabilisées comme des erreurs (voir premier critère). Cinquième critère (à partir de 60 mots/minute en débit-exact) : l'élève doit faire une lecture emphatique (prosodique). Chacun des contenus de ces critères est introduit dans l'enseignement bien avant qu'ils ne soient appliqués comme critère d'évaluation.

L'élève doit travailler à la maison, *seul et sans aide*, au minimum deux textes par soir. Ces textes sont évalués le lendemain. L'élève doit lire de quatre à quinze fois son texte pour atteindre les critères qui lui sont fixés.

L'activité de Surlecture occupe de 20 à 30 minutes de la séance quotidienne dans le programme DIR. Durant ce laps de temps, il n'est pas rare de voir certains élèves préparer et réussir plus de cinq textes. Il arrive même que des élèves préparent plus de 10 textes par jour. Des tuteurs (autres élèves de l'école formés et supervisés par l'orthopédagogue) évaluent et encadrent les élèves du programme DIR pendant la durée de l'activité de *Surlecture*.

Si vous visitez un groupe orthopédagogique où on applique le programme DIR, vous serez sûrement surpris par la cacophonie régnante, puisque les 10 ou 12 élèves préparent leurs textes en les lisant tout haut. Tous les jours, l'orthopédagogue prépare avec ses élèves un des textes qui sera à l'étude le soir, afin d'expliquer et de modeler les liaisons et la lecture emphatique. Les élèves ont alors la possibilité de s'exercer et de recevoir une rétroaction de l'orthopédagogue.

ANNEXE J
Liste des activités en lecture
Programmes : EERCL, DAL, DIR, JSC

1) Comptine du bruit des lettres	42) Lecture perdue
2) Comptine des sons	43) Lecture perdue en chœur
3) Comptine c/g	44) Lecture perdue... oups !
4) Comptine des mots à globaliser	45) Lecture perdue les yeux fermés
5) Comptines	46) Mille-syllabes
6) Aspirateur des lettres	47) Mille-syllabes appuyé
7) La criée	48) Mille-phrases école
8) La dictée	49) Mille-phrases appuyé école
9) La marelle	50) Mille-phrases maison
10) La lecture à relais des lettres	51) Mille-phrases appuyé maison
11) Le détective des lettres	52) Lecture étudiée
12) Génies qui désherbent	53) Lecture appuyée
13) Chacun son tour	54) Surlecture
14) Fricatour	55) Surlecture modifiée
15) Fricassée	56) Lecture rétention
16) Comprendre l'uranien	57) Lecture rétention à l'écrit
17) Parler uranien	58) Répondez à ma question !
18) Jetons-images-bruits	59) Répondez à ma question à l'écrit !
19) La composition assistée	60) Faites-moi une question !
20) Lecture orale collective	61) Lecture Bang !
21) Lecture enchaînée	62) Lecture questions-réponses-questions
22) Lecture à rebours	63) Questions-passages
23) Lecture folle	64) Lecture bris de compréhension
24) Corrigez-moi !	65) Triangle-triangles
25) Pensez-y !	66) Chercher l'erreur !
26) Lecture à relais d'illustrations	67) Faites-moi un dessin !
27) Bingo du vocabulaire	68) Déduisons !
28) Banque murale	69) Lecture qui, quand, où, comment
29) Mots-vedettes	70) Lecture raisonnée
30) Possible-impossible	71) Lecture raisonnée qui, quand, où, comment
31) Lecture à relais	72) Lecture raisonnée deux à deux
32) Lecture à relais en chœur	73) Lecture raisonnée qui, quand, où,
33) Lecture à relais corrigez-moi !	comment deux à deux
34) Lecture à relais appuyée	74) Je cherche tout nu
35) Lecture amplifiée	75) Je cherche à l'écrit
36) Lecture emphatique	76) Je cherche à l'oral
37) Lecture marathon	77) Je cherche à l'envers
38) Lecture pas d'allure !	78) Je cherche allongé
39) Lecture décodage	79) Questions littérales
40) Lecture orale collective	80) Validation d'énoncés
41) Lecture survol	81) Niveaux de compréhension
	82) Bim-bim

L'évaluation de la lecture orale

L'évaluation de la lecture orale requiert un texte du degré scolaire concerné qui n'a jamais été lu par les élèves. Ce texte doit être disposé pleine feuille (pas en colonnes) à doubles interlignes, sans illustration, et en employant un caractère connu des élèves d'une taille de 14 à 16 points pour les élèves de 1re et 2e année et de 12 à 14 points pour les élèves des autres degrés. En 1re et 2e année, si l'évaluation se déroule au mois de mai ou juin, le texte doit compter au moins 200 mots tandis que de la 3e à la 6e année, le texte doit comprendre au moins 270 mots afin d'éviter un plafond à la mesure. Idéalement, le texte ne comprend aucun bris de compréhension (voir annexe A, p. 77).

Il est important que le lieu de l'évaluation permette à l'élève évalué de se concentrer (sans va-et-vient et à l'abri des regards) et ne permette pas aux autres élèves d'entendre la lecture du texte. L'élève évalué doit être bien assis face au texte.

Protocole universel de passation des tests de débit

1. Cacher le texte afin que l'élève écoute attentivement les consignes (placer la feuille du côté verso).
2. Annoncer à l'élève qu'il devra lire à voix haute un texte, *du mieux qu'il le peut et le plus rapidement possible.*
3. Préciser à l'élève qu'il devra lire pendant une minute et que ce n'est pas grave s'il n'a pas le temps de lire le texte au complet.
4. Annoncer à l'élève que s'il commet une erreur en lisant, il peut la corriger s'il s'en rend compte et que vous l'aiderez s'il a des difficultés.
5. Exiger que l'élève suive sur la feuille avec son doigt (ou un crayon).

6. Placer le doigt de l'élève sous *le premier mot du titre* et lui dire qu'à votre signal il devra commencer à lire immédiatement (donner le signal et activer le chronomètre discrètement).

7. Si l'élève bute sur un mot, *après trois secondes*, lui lire le mot et lui demander de poursuivre sa lecture (compte pour une erreur).

8. Si l'élève lit incorrectement un mot et qu'il ne le corrige pas, *lui lire le mot correctement* (compte pour une erreur).

9. Si l'élève a fait une erreur en lisant et qu'il l'a corrigée de lui-même par la suite, ce n'est pas une erreur.

10. Si l'élève prononce les e muets, ne respecte pas la ponctuation ou ne fait pas de liaisons, *ne pas le pénaliser* (ne compte pas pour une erreur).

11. Si l'élève escamote un mot ou une ligne, *lui replacer immédiatement le doigt (ou le crayon) au bon endroit* en lui mentionnant qu'il « sautait » un mot ou une ligne (ne compte pas pour une erreur).

12. Demander à l'élève d'arrêter de lire *après une minute* et le remercier de son effort.

Après la passation du test, il est important de calculer pour chaque élève le débit-brut, le pourcentage d'exactitude et le débit-exact.

Débit-brut : nombre de mots lus en une minute (incluant les erreurs et les mots qu'on lui a lus).

Exactitude : nombre de mots bien lus ÷ par le nombre de mots lus × 100.

Débit-exact : nombre de mots bien lus en une minute (excluant les erreurs).

Quelques considérations concernant l'évaluation du raisonnement et de la compréhension en lecture

Le texte choisi ou rédigé pour l'évaluation raisonnement/compréhension est plus enrichi que le texte d'évaluation de la lecture orale. L'enrichissement se définit par des structures de phrases plus complexes, par l'utilisation du passé simple (texte narratif) à partir de la 3ᵉ année, et par un vocabulaire plus recherché pouvant inclure jusqu'à six bris de compréhension dont les élèves devront déduire la signification en s'appuyant sur le contexte, cela à tous les degrés scolaires. Si un texte narratif est employé, il peut être accompagné d'illustrations, mais elles ne doivent pas révéler la trame de l'histoire. Si un texte informatif est employé, il peut être accompagné d'images qui vont *illustrer* les informations présentées dans le texte, sans en ajouter de nouvelles. La longueur du texte peut varier, mais il doit permettre à l'élève moyen de pouvoir faire au moins deux lectures et demie dans le temps alloué à la lecture du texte.

**Calcul du temps minimal alloué
pour la lecture du texte d'évaluation**

Nombre total de mots du texte ÷ Débit-exact moyen du groupe
= Nombre de minutes pour le lire le texte (élève moyen)

Nombre de minutes pour lire le texte (élève moyen) × 2,5 =
Temps alloué minimal pour la lecture du texte en minutes

Le temps alloué pour lire le texte et compléter l'ensemble du test doit être le même pour tous. Après la lecture du texte, les élèves doivent accomplir une tâche. Je vous recommande d'utiliser principalement des questions du type *Niveaux de compréhension* (Boyer, 1993 ; p. 162-165) de la 2ᵉ année primaire au secondaire. En 1ʳᵉ année, je vous recommande que 70 % à 80 % des items soient des *Validations d'énoncés* ou des questions à choix multiple et que 20 % à 30 % soient des *Niveaux de compréhension* où les élèves devront répondre par écrit.

De la 1re à la 5e année, 50 % des questions devraient être de niveau littéral et 50 % de niveau inférentiel. En 6e année, les exigences peuvent être rehaussées, 40 % de niveau littéral et 60 % de niveau inférentiel.

Si les tests de compréhension et raisonnement à produire doivent servir à vérifier l'efficacité de l'intervention orthopédagogique, il est essentiel que le test soit d'un niveau de difficulté élevé afin de ne pas avoir de plafond à la mesure pour tous les élèves, incluant les élèves forts de la classe ordinaire.

Si les tests de compréhension et raisonnement à produire sont des tests sommatifs de fin d'étape ou de fin d'année, le niveau de difficulté doit refléter le plus possible les objectifs de rendements optimaux souhaités pour la période concernée.

Lors de la passation du test de la compréhension et du raisonnement en lecture, la lecture du texte par les élèves doit être silencieuse, et les élèves ne peuvent recevoir d'aide pour l'oralisation d'un mot (bris de décodage) ou la compréhension de la signification d'un mot (bris de compréhension) ou la compréhension d'une des tâches à accomplir à la suite de la lecture du texte. Les élèves sont prévenus qu'ils doivent se débrouiller seuls et qu'ils ont avantage à ne pas s'attarder à un item en particulier avant d'avoir répondu à l'ensemble des items.

ANNEXE M
Exemples de questionnaires

Sondage des parents
Programme DIR en lecture

École : _____ Date : _____ Degré : _____

Encerclez le chiffre qui correspond le plus à votre opinion.

1) À la suite de la participation de mon enfant au programme DIR, je considère qu'il a fait . . . . en lecture.

1	2	3	4	5
peu de progrès		un progrès acceptable		beaucoup de progrès

Commentaires : _____

2) Mon enfant a . . . . le programme DIR.

1	2	3	4	5
très peu apprécié		apprécié		beaucoup apprécié

Commentaires : _____

Sondage des élèves
Programme DIR en lecture

École : _____ Date : _____ Degré : _____

Encerclez le chiffre qui correspond le plus à votre opinion.

1) Je pense que je me suis . . . . amélioré en lecture.

1	2	3	4	5
pas beaucoup		moyennement		beaucoup

Commentaires : _____

2) J'ai … . aimé participer au programme DIR.

1	2	3	4	5
pas beaucoup		moyennement		beaucoup

Commentaires : _____

Questionnaire pour les élèves
Moi, je pense que…[1]
Programme DIR en lecture

Nom : _____

École : _____ **Date :** _____ **Degré :** _____

Encerclez le chiffre qui correspond le plus à votre opinion.

1) J'aime lire.

1	2	3	4	5
pas beaucoup		moyennement		beaucoup

Commentaires : _____

2) Je sais lire.

1	2	3	4	5
pas beaucoup		moyennement		très bien

Commentaires : _____

3) Je peux réussir à l'école.

1	2	3	4	5
pas beaucoup		moyennement		très bien

Commentaires : _____

---

1. Ce questionnaire doit être passé avant et après l'intervention ortho-pédagogique.

4) Je serais content de recevoir un livre en cadeau à ma fête.

1	2	3	4	5
pas beaucoup		moyennement		beaucoup

Commentaires : _____

5) C'est important de bien savoir lire.

1	2	3	4	5
pas beaucoup		moyennement		beaucoup

Commentaires : _____

Sondage des titulaires
Programme DIR en lecture

École : _____ Date : _____

Degré : _____ Nombre d'élèves impliqués : _____

Encerclez le chiffre qui correspond le plus à votre opinion.

1) Mes élèves ont fait … . en lecture.

1	2	3	4	5
peu de progrès		un progrès acceptable		beaucoup de progrès

Commentaires : _____

2) Mes élèves ont fait … . en français.

1	2	3	4	5
peu de progrès		un progrès acceptable		beaucoup de progrès

Commentaires : _____

3) Mes élèves ont fait … . dans les autres matières.

1	2	3	4	5
peu de progrès		un progrès acceptable		beaucoup de progrès

Commentaires : _____

4) Mes élèves ont .... le programme DIR.

1	2	3	4	5
très peu		apprécié		apprécié
apprécié				

Commentaires : _____

Extraits de tests[1]
Raisonnement/compréhension 3ᵉ année avant intervention

Le renard roux

Le renard roux est facile à reconnaître. Il ressemble à un petit chien. Il a un pelage roux et sa tête est fine. Son museau est long et ses oreilles sont pointues. Cet animal possède une magnifique queue très poilue qui se termine par une touffe de poils blancs. En hiver, il enroule sa queue autour de ses pattes. Cela l'aide à les tenir au chaud.

Le renard peut manger de tout. Cependant, ses proies préférées sont les petits animaux comme les souris et les lièvres. Il aime aussi manger des œufs, des insectes et des fruits. S'il vit près des cours d'eau, il attrape des poissons. Il est très rare de voir un renard manger ses proies sur place. Celui-ci les ramène plutôt dans sa maison qu'on appelle une tanière ou un terrier. Il peut aussi s'en faire des provisions qu'il cache sous terre. Le renard cherche sa nourriture surtout la nuit, mais il peut chasser au lever et au coucher du soleil. (…)

Le texte complet comprend 297 mots.

Corrigé du questionnaire

1. QUELLES SONT LES CARACTÉRISTIQUES PHYSIQUES DU RENARD (6 ÉLÉMENTS)?

« Le renard/Il ressemble à un chien. Le renard/Il a un pelage roux, une tête fine, un museau long, des oreilles pointues et une queue très poilue (qui se termine par une touffe de poils

---

1. Certains tests en usage dans le programme DIR ont été rédigés par Danièle Charest et Michèle Méthot. Les premières versions avaient été élaborées par Claudette Martin et Linda Beauvais.

blancs).» Ou toute autre réponse équivalente = 10 points; répond à la question.

«Le renard/Il ressemble à un chien» ou «Le renard/Il a un pelage roux» ou «Le renard/Il a une tête fine» ou «Le renard/Il a un museau long» ou «Le renard/Il a des oreilles pointues» ou «Le renard/Il a une queue très poilue (qui se termine par une touffe de poils blancs)». Ou toute autre réponse équivalente: 6 éléments = 10 points, 5 éléments = 8 points, 4 éléments = 6 points, 3 éléments = 4 points, 2 éléments = 2 points, 1 élément = 0 point; répond partiellement à la question.

2. QUE POURRAIT-IL ARRIVER À UN PETIT RENARD QUE SA MÈRE OUBLIERAIT DE LÉCHER À SA NAISSANCE?

«Probablement qu'il/que le petit renard mourrait de froid parce que sa fourrure doit être propre pour le protéger du froid.» Ou toute autre réponse équivalente = 10 points; répond à la question et traite l'information.

«Probablement qu'il/que le petit renard mourrait» ou «Il/Le petit renard mourrait». Ou toute autre réponse équivalente = 10 points; répond à la question, on peut présumer qu'il y a traitement de l'information.

«Il/Le petit renard aurait très froid» = 7 points; répond à la question, mais le traitement de l'information n'est pas complet, car la conséquence à long terme n'est pas déduite.

«Il/Le petit renard doit avoir le poil propre pour ne pas avoir froid.» Ou toute autre réponse équivalente = 5 points; sélectionne l'information pertinente, mais ne traite pas l'information.

«Le poil des nouveau-nés doit être soigneusement nettoyé par la mère, car plus il est propre, plus il offre une bonne protection contre le froid.» Ou toute autre réponse équivalente = 0 point; copie simplement une section du texte.

3. COMBIEN DE PETITS UNE RENARDE PEUT-ELLE AVOIR EN DEUX ANS ?

« Elle/La renarde peut avoir environ cinq petits à la fois, alors si elle/la renarde accouche deux fois, elle/la renarde pourra avoir dix petits. » ou toute autre réponse équivalente = 10 points ; répond à la question et traite l'information.

« Elle/La renarde pourra avoir **dix petits** » ou « **Dix** » ou toute autre réponse équivalente = 10 points ; répond à la question, on peut présumer qu'il y a traitement de l'information.

« Elle/La renarde peut avoir cinq petits à la fois. » ou « **Cinq petits** » ou « **Cinq** » ou toute autre réponse équivalente = 5 points ; sélectionne l'information pertinente, mais ne traite pas l'information.

4. LES RENARDS CHASSENT... LA NUIT.

a) toujours
b) la plupart du temps = 10 points
c) parfois
d) jamais
e) rarement

Le test complet comprend 10 items,
9 Niveaux de compréhension, une Validation d'énoncés
(5 littérales et 5 inférentielles).

Test de débit 1re année après l'intervention

Le petit chat

Mon frère a un petit chat qui s'appelle Pipo. Son chat est noir avec des taches blanches sur la tête. Pipo a seulement six mois. Il est encore tout petit. Il court et saute sur tout ce qui bouge.
Pipo aime jouer avec mon frère. Tous les matins, mon frère et moi, on joue avec Pipo. Mon frère tient dans sa main une petite corde (...).

Le test complet comprend 197 mots.

Références

Adam, M. J. (1990). *Beginning to read : Thinking and learning about print.* Cambridge : MIT Press.

Adams, M. J., Bruck, M. (1995). Resolving the great debate. *American Educator, 19,* p. 7-12.

Ambrason, L. Y., Seligman, M. E. P., Teasdale, J. (1978). Learned helplessness in humans : Critique and reformulation. *Journal of Abnormal Psychology, 87,* p. 49-74.

Archambault, J. (1997). Attention, les systèmes de récompenses ne sont pas sans danger. *Bulletin de liaison de l'Association québécoise des psychologues scolaires, 9,* p. 2-10.

Bissonnette, S., Richard, M., Gauthier, C. (2006). *Comment enseigne-t-on dans les écoles efficaces ? Efficacité des écoles et des réformes.* Québec : Presses de l'Université Laval.

Borman, G. D., Hewes, G.M., Overman, L.T., Brown, S. (2003). Comprehensive school reform and achievement : A meta-analysis. *Review of Educational Research, 73* (2), p. 125-130.

Boyer, C. (2000). Être ou ne pas être dyslexique ? Est-ce la bonne questions ? *Apprentissages et socialisation, 20* (2), p. 161-181.

Boyer, C. (2009). *Grilles de l'enseignement explicite du raisonnement et de la compréhension en lecture. Programmes EERCL, DAL et DIR.* Montréal : Éditions SESSIONS.

Boyer, C. (1993). *L'Enseignement explicite de la compréhension en lecture.* Boucherville : Graficor.

Boyer, C. (À paraître). *Lire c'est raisonnner — Les programmes en lecture de Christian Boyer.* Montréal : Éditions de l'Apprentissage.

Butkowsky, I. S., Willows, D. M. (1980). Cognitive-Motivational characteristics of children varying in reading ability : Evidence for learned helplessness in poor readers. *Journal of Educational Psychology, 72* (3), p. 408-422.

Cameron, J., Pierce, W.D. (1994). Reinforcement, reward, and intrinsic motivation : A meta-analysis. *Review of Educational Research, 64,* p. 363-423.

Cameron, J., Pierce, W.D. (1996). The debate about reward and intrinsic motivation : Protests and accusations do not alter the results. *Review of Educational Research, 66,* p. 39-51.

Cameron, J., Pierce, W.D. (2001). Pervasive negative effects of reward on intrinsic motivation: The myth continues. *The Behavior Analyst*, 24, p. 1-44.

Cameron, J., Pierce, W. D., Bnako, K. M., Gear, A. (2005). Achievement-based rewards and intrinsic motivation: A test of cognitive mediators. *Journal of Educational Psychology*, 97 (4), p. 641- 655.

Carnine, D. W., Silbert, J., Kameenui, E. J. (1997). *Direct Instruction Reading*. Upper Saddle River: Prentice Hall.

Chall, J. (1967). *Learning to read: The great debate*. New York: McGraw Hill.

Chard, D. J., Vaughn, S., Tyler, B.-J. (2002). A synthesis of research on effective interventions for building reading fluency with elementary students with learning disabilities. *Journal of Learning Disabilities*, 35 (5), p. 386-406.

Clay, M. M. (1985). *The early detection of reading difficulties*. Auckland, Nouvelle-Zélande: Heinemann.

Collins, C. (1991). Reading instruction that increases thinking abilities. *Journal of Reading*, 34, p. 510-516.

Coyne, M. D., Simmons, D. C., Kame'enui, E. J., & Stoolmiller, M. (2004). Teaching vocabulary during shared storybook readings: An examination of differential effects. *Exceptionality*, 3, p. 145-162.

D'Agostino, J. V., Murphy, J. A. (2004). A meta-analysis of Reading Recovery in United States schools. *Educational Evaluation and Policy Analysis*, 26 (1), p. 23-38.

Deci, E. L., Ryan, R. M. (1985). *Intrinsic motivation and self-determination in human behavior*. New York: Plenum Press.

Duffy, G. G., Roehler, L. R., Rackliffe, G., Book, C., Meloth, M., Vavrus, L. G., Wesselman, R., Putnam, R., Bassari, D. (1987). Effects of explaining the reasoning associated with using reading strategies. *Reading Research Quarterly* (22), p. 347-368.

Duke, N. K., Pressley, M. et Hilden, K. (2004). Difficulties in reading comprehension. Dans Stone, C. A., Silliman , E. R., Ehren, B. J. et Apel, K. (dir). *Handbook of language and literacy: Development and disorders*. New York: Guilford Press.

Elbaum, B., Vaughn, S., Hughes, M., Moody, S. (2000). How effective are one-to-one tutoring programs in reading for elementary students at risk for reading failure? A meta-analysis of the intervention research. *Journal of Educational Psychology*, 92, p. 605-619.

Gans, A. M., Kenny, M. C., Ghany, D. L. (2003). Comparing the self-concept of students with and without learning disabilities. *Journal of Learning Disabilities*, 36 (3), p. 287-295.

Gauthier, L. R. (1991). The effects of vocabulary gain upon instructional reading level. *Reading Improvement*, 28, p. 195-202.

Gersten, R., Baker, S. (2001). Teaching expressive writing to students with learning disabilities: A meta-analysis. *The Elementary School Journal*, 101(3), p. 251-272.

Giroux, N. (À paraître). L'enseignement de précision clinique. Dans G. Magerotte, *Manuel d'éducation comportementale en autisme*. Bruxelles: de Boeck.

Goodman, K. S. (1986). *What's whole in Whole Language?* Richmond Hill, Ontario: Scolastic.

Harn, B. E., Linan-Thompson, Roberts, G. (2008). Does additional instruction time make a difference for the most at-risk first graders? *Jounal of Learning Disabilities*, 41 (2), p. 115-125.

Hasbrouck, J., Tindal, G.A. (2006). Oral reading fluency norms: A valuable assessment tool for reading teachers. *The Reading Teacher*, 59(7), p. 636-644.

Juel, C. (1988). Learning to read and write: A longitudinal study of fifty-four children from first through fourth grades. *Journal of Educational Psychology*, 80 (4), p. 437-447.

Kincade, K. M., Beach, S. A. (1996). Improving reading comprehension through strategy instruction. *Reading Psychology*, 17, p. 273-281.

Kingner, J. K., Vaugh, S. (1996). Reciprocal teaching of reading comprehension strategies for students with learning disabilities who use English as a second langage. *The Elementary School Journal*, 96, p. 275-293.

Kroesbergen, E.H, Van Luit, J.E. (2003). Mathematics interventions for children with special educational needs. A meta-analysis. *Remedial and Special Education*, 24(2), p. 97-114.

Kunsch, C.A., Jitendra, A.K., & Sood, S. (2007). The effects of peer-mediated instruction in mathematics for students with learning problems: A research synthesis. *Learning Disabilities Research and Practice*, 22(1), p. 1-12.

Laberge, D., Samuels, S. J. (1974). Toward a theory of automatic information processing in reading. *Cognitive Psychology*, 6, p. 293-323.

Leblanc, G. (2004). *Enhancing intrinsic motivation through the use of a token economy*. Disponible sur internet, Essays in Education Online Journal: http://www.usca.edu/essays/vol11fall2004.html.

Lecomte du Noüy, P. (1964). *Entre savoir et croire*. Paris: Éditions Gonthier.

Legault, L. (2006). *Effectiveness of an early literacy intervention and its predictive measures*. Université Laval, Faculté des sciences de l'éducation. Québec: Presses de l'Université Laval.

Lepper, M. R., Greene, D., Nisbett, R. E. (1973). Undermining children's intrinsic interest with extrinsic reward: A test of the « overjustification » hypothesis. *Journal of Personality and Social Psychology*, 28, p. 129-137.

Light, B. G., Kistner, J. A. (1986). Learning-disabled children: Individual differences and their implications for treatment. Dans B. Y. Wong, *Psychological and educational perspectives on learning disabilities*. Orlando: Academic Press.

Luciano, S., Savage, R. S. (2007). Bullying risk in children with learning difficulties in inclusive educational settings. *Canadian Journal of School Psychology*, 22 (1), p. 14-31.

Lysynnchuk, L., Pressley, M., Vye, N. J. (1990). Reciprocal teaching improves standardized reading- comprehension performance in poor comprehender. *The Elementary School Journal*, 90, p. 469-484.

Maag, J. W., Reid, R. (2006). Depression among students with learning disabilities: Assessing the risk. *Journal of Learning Disabilities*, 39 (1), p. 3-10.

Madden, N. A., Slavin, R. E. (1989). Effective pullout programs for students at risk. In R. K. Slavin, *Effective programs for students at risk*. Needham Heights: Allyn and Bacon.

Marzano, R. J., Marzano, J. S. (2003). The key to classroom management. *Educational Leadership*, septembre, p. 6-13.

Meyer, M. S., Wood, F. B., Hart, L. A., Fleton, R. H. (1998). Selective predictive value of rapid automatized naming in poor readers. *Journal of Reading Disabilities*, 21, p. 106-117.

Mishna, F. (2003). Learning disabilities and bullying: Double jeopardy. *Journal of Learning Disabilities*, 36 (4), p. 336-347.

Moody, S. W., Vaughn, S., Hughes, M. T., Fisher, M. (2000). Reading instruction in the resource room: Set up for failure. *Exceptional Children, 66* (3), p. 305-315.

Moyer, S. B. (1982). Repeated reading. *Journal of Learning Disabilities, 15* (10), p. 619-623.

Norris, J. M., Ortega, L. (2000). Effectiveness of L2 instruction: A research synthesis and quantitative meta-analysis. *Language Learning, 50* (3), p. 417-528.

Palincsar, A. S., Brown, A. L. (1984). Reciprocal teaching for comprehension-fostering and comprehension-monitoring activities. *Cognition and Instruction, 1*, p. 117-175.

Manzo, A. V., Manzo, U. C. et Thomas, M. M. (2006). Rationale for systematic vocabulary development: Antidote for state mandates. *Journal of Adolescent and Adult Literacy, 49*, p. 610-619.

National Reading Panel (2000). *Teaching children to read: An evidence-based assesment of the scientific research literature on reading and its implications for reading instruction.* National Institute of Child Health and Human Development, Rockville.

Parent, V. (2008). *Les interventions orthopédagogiques en lecture au primaire.* Université Laval, Programme de maîtrise en psychopédagogie (adaptation scolaire). Québec: Presses de l'Université Laval.

Pierce, W. D., Cameron, J. (2002). A summary of the effects of reward contingencies on interest and performance. *The Behavior Analyst Today, 3* (2), p. 221-228.

Pikulski, J. J. (1994). Preventing reading failure: A review of five effective programs. *The Reading Teacher, 48* (1), p. 30-39.

Pressley, M. (2000). What should comprehension instruction be the instruction of? Dans M. L. Kamil, *Handbook of Reading Research. Volume III.* Mahwah: Lawrence Erlbaum Associates.

Rand Reading Study Group. (2002). *Reading for understanding.* Santa Monica: Rand Corporation. Disponible sur internet: http://www.rand.org/pubs/monograph_reports/2005/mr1465.pdf

Rasinski, T., Homan, S., Biggs, M. (2009). Teaching reading fluency to struggling readers: Method, materials, and évidence. *Reading and Writing, 25*, p. 192-204.

Reder, F., Stephan, E., Clément, C. (2007). L'économie de jetons en contexte scolaire: risque d'un effet délétère. *Journal de Thérapie comportementale et cognitive, 17* (4), p. 165-169.

Rupley, W. H., Blair, T. R., Nichols, W. D. (2009). Effective reading instruction for struggling readers: The role of direct/explicit teaching. *Reading and Writing*, 25, p. 125-139.

Saint-Laurent, L., Hébert, M., Royer, É., Piérard, B. (1996). Identification of students with academic difficulties: Implications for research and practice. *Canadian Journal of School Psychology*, 12 (2), p. 143-154.

Samuels, S. J., Reinking, D. (1992). Reading fluency: Techniques for making decoding automatic. Dans S. J. Samuels, *What research has to say about reading instruction*. Newark: International Reading Association.

Samuels, S. J. (1979). The method of repeated reading. *The Reader Teacher*, 32, p. 403-408.

Seligman, M. E. P. (1975). *Helplessness. On developement, depression and death*. New York: W. H. Freeman and Company.

Shanahan, T., Barr, R. (1995). Reading Recovery: An independent evaluation of the effects of early instructional intervention for at-risk learners. *Reading Research Quarterly*, 30 (4), p. 958-996.

Shevlin, M., O'Moore, A. (2000). Creating opportunities for contact between mainstream pupils and their counterparts with learning difficulties. *British Journal of Special Education*, 27 (7), p. 28-33.

Slavin, R.E., Karweit, N. L., Madden, N. A. (1989). *Effective programs for students at risk*. Needham Heights: Allyn and Bacon.

Smith, F. (1971). *Understanding reading*. Hillsdale: Lawrence Erlbaum.

Stahl, S. A., Miller, P. D. (1989). Whole language and language experience approaches for beginning reading: A quantitative research synthesis. *Review of Educational Research*, 59, p. 87-116.

Swanson, H. L., Hoskyn, M. (1998). Experimental intervention research on students with learning disabilities: A meta-analysis of treatment outcomes. *Review of Educationl Research*, 68 (3), p. 277-321.

Swanson, H. L. (1999). Reading research for students with LD: A meta-analysis of intervention outcomes. *Journal of Learning Disabilities*, 32 (6), p. 504-532.

Swanson, H. L. (2001). Research on interventions for adolescents with learning disabilities: A meta-analysis of outcomes related to higher-order processing. *The Elementary School Journal*, 101 (3), p. 331-348.

Sweller, J. (à paraître). What human cognitive architecture tells us about constructivism. Dans S. Tobias et T. Duffy (dir.), *Constructivism theory applied to instruction: Success or failure?* Hillsdale, NJ: Lawrence Erlbaum Associates, Inc.

Therrien, W. J. (2004). Fluency and comprehension gains as a result of repeated reading. *Remedial and Special Education, 25* (4), p. 252-261.

Torgesen, J. K. (2000). Individual differences in response to early interventions in reading: The lingering problem of treatment resisters. *Learning Disabilities Research and Practice, 15,* p. 55-64.

Torgesen, J. K. (1998). Instructional interventions for children with reading disabilities. Dans B. K. Shapiro, *Specific reading disability. A view of the spectrum.* Timonium: Tork Press.

Vaughn, S., Moody, S. W., Schumm. J. S. (1998). Broken promises: A reading instruction in the ressource room. *Exceptional Children, 64* (2), p. 211-225.

Vygotsky, L. S. (1978). *Mind in society.* Cambridge: Harvard University Press.

Wanzek, J., Vaughn, S. (2008). Response to varying amounts of time in reading intervention for students with low response to intervention. *Journal of Reading Disabilities, 41* (2), p. 126-142.

Wright-Stawderman, C., Watson, B. L. (1992). The prevalence of depressive symptoms in children with learning disabilities. *Journal of Learning Disabilities, 25,* p. 258-264.

Young, A. R. (1996). Effects of prosodic modeling and repeated reading on poor reader's fluency and comprehension. *Applied Psycholinguistics, 17,* p. 59-84.

Table des matières